职业教育技能型人才培养"十二五"规划教材
国家级中等职业教育改革发展示范校建设项目成果
国家示范性中等职业学校汽车维修重点支持专业建设教材

汽车发动机构造与维修

（下册）

主　编　廖新华
主　审　王富强

西南交通大学出版社
·成　都·

图书在版编目（CIP）数据

汽车发动机构造与维修. 下册 / 廖新华主编. —成都：西南交通大学出版社，2013.11
职业教育技能型人才培养"十二五"规划教材
ISBN 978-7-5643-2620-3

Ⅰ.①汽… Ⅱ.①廖… Ⅲ.①汽车－发动机－构造－中等专业学校－教材②汽车－发动机－车辆修理－中等专业学校－教材 Ⅳ.①U472.43

中国版本图书馆 CIP 数据核字（2013）第 203144 号

职业教育技能型人才培养"十二五"规划教材

汽车发动机构造与维修

（下册）

主编　廖新华

责 任 编 辑	孟苏成
封 面 设 计	墨创文化
出 版 发 行	西南交通大学出版社 （四川省成都市金牛区交大路 146 号）
发行部电话	028-87600564　028-87600533
邮 政 编 码	610031
网　　　址	http://press.swjtu.edu.cn
印　　　刷	四川省印刷制版中心有限公司
成 品 尺 寸	185 mm × 260 mm
印　　　张	10.5
字　　　数	258 千字
版　　　次	2013 年 11 月第 1 版
印　　　次	2013 年 11 月第 1 次
书　　　号	ISBN 978-7-5643-2620-3
定　　　价	35.00 元

总序 *PREFACE*

我国汽车工业的飞速发展，给汽车维修相关专业毕业生提供了广阔的就业空间和良好的发展前景，同时也对学校开展汽车维修相关专业教学提出了更高的要求。根据教育部、人力资源社会保障部、财政部《关于实施国家中等职业教育改革发展示范学校建设计划的意见》的要求，我们开展了国家示范性中等职业学校建设工作，将汽车维修专业作为重点支持专业开展了为期两年的建设。

通过走访成都市内具有影响力的汽车销售服务公司以及一汽大众、一汽丰田等汽车制造厂，我们完成了大范围的市场调研。在系统总结学校汽车维修专业建设和教学改革实践的基础上，构建了校企合作、工学结合的"1＋2＋2"人才培养模式。通过不断深化教学改革、创新教学模式，建立了基于工作过程的一体化课程体系，确立了任务驱动、项目引领教学方法的主体地位，把汽车维修行业典型工作任务与学校实践教学条件的实际情况相结合，并构建了"汽车发动机构造与维修"、"汽车电气设备构造与维修"、"汽车底盘构造与维修"、"汽车二级维护"等四门核心课程。

为保证教材质量，我们整合了四川省内中职、高职院校汽车专业及汽车企业的优质资源，由相关专家、教学骨干组成教材编审委员会，确保本套教材的编写质量满足"国示"建设的需要，同时希望本套教材的出版，可起到"抛砖引玉"的作用，为中职教改提供有益的借鉴，为我国职业教育的改革发展做出我们应有的贡献。

汽车维修重点支持专业建设教材编审委员会

2013 年 5 月

PREFACE

《汽车发动机构造与维修（下册）》是国家中等职业教育改革发展示范学校建设项目汽车维修重点支持专业建设系列教材之一。全书共十个学习任务：一、发动机动力不足的机械故障诊断；二、发动机控制单元电源电路的检修；三、空气供给系统（电控）检修；四、燃油供给系统检修；五、发动机电控点火系统检修；六、发动机排放控制系统检修；七、电子防盗系统的检修；八、发动机不能启动的综合故障诊断与排除；九、发动机总装与竣工检验；十、柴油发动机共轨电喷供油系统检修。

本教材深入贯彻国家职业教育改革发展要求，紧贴我国中职教学改革的实际，紧扣我校汽车维修专业人才培养方案，具有如下特色：

一、以企业需求为基本依据、以就业为导向

教材编写以就业为导向，以能力为本位，能够满足企业生产需求，提高学生学习的主动性和积极性。

二、适应汽车技术发展，体现教学内容的先进性和前瞻性

关注我国汽车制造和维修企业的最新技术发展，准确把握教材内容，突出本专业领域的新知识、新技术、新工艺和新方法。结合专业要求，使学生在学习专业基本知识和基本技能的基础上，及时了解、掌握本领域的最新技术及相关技能，实现专业教材基础教学的基础性与先进性的统一。

三、以学生为主体、教师为主导，方便采用任务驱动教学法

教材强调学生学习的主动性和有效性，是帮助学生实现有效学习的重要工具，其核心任务是帮助学生学会怎样学习，如何工作。在学习与工作一体化的情境下，通过系统化的引导问题，引领学生完成一个个学习任务。每个学习任务将知识学习与技能操作有机地结合在一起，注重对学习目标和引导问题的设计，体现以学生为主体，强化学生的地位，给学生留下充分思考、实践与合作交流的时间和空间，让学生亲身经历观察、操作、交流、反思等活动过程。

四、教材具有可操作性和实用性

教材注重激发学生的学习兴趣，引导学生自主学习。教材编写中制作和拍摄了大量高质量的图片，减少了文字描述，提高了直观感受，符合学生的认知规律，具有很好的可操作性和实用性。

本教材由成都交通高级技工学校廖新华、华杰、冀承、钟梁、曾嘉、杜康乐、崔人志编写。由廖新华担任主编，杨娟校对，王富强担任主审。

由于水平有限，时间仓促，书中难免有不足处，敬请教学单位在积极使用和推广本系列教材的同时，及时提出修改意见和建议，以便在再版修订时改正，在此表示衷心的感谢！

编　者

2013 年 8 月

目录 CONTENTS

学习任务一　发动机动力不足的机械故障诊断

情景描述

一辆帕萨特的发动机动力不足，经检查燃油系统和点火系统正常，现在需要检查发动机机械部件，诊断发动机哪些部件可能损坏。请制订诊断计划并实施。

任务描述

知道发动机正常燃烧的必要条件，学会分析发动机动力不足的常见故障；正确使用气缸压力表检测气缸压力，正确使用真空压力表检测发动机真空度，排除发动机由于机械故障导致的发动机动力不足的故障。

学习目标

通过本学习任务的学习，应当能：

(1) 分析发动机动力不足故障的原因。
(2) 知道发动机正常燃烧的必要条件。
(3) 知道混合气浓度的计算方法。
(4) 正确使用气缸压力表和真空压力表。
(5) 正确检查发动机真空度和发动机气缸压力。

建议学时

➤ 6课时。

学习内容

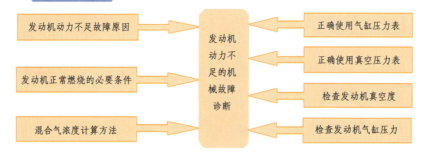

一、任务准备

引导问题 1：影响发动机动力性的因素有哪些？

简述影响发动机动力性的主要因素。

引导问题 2：发动机正常着火必须满足的 3 个必要条件是什么？

（1）简述发动机正常着火必须满足的 3 个必要条件。

（2）可燃混合气的浓度常用＿＿＿＿＿＿＿（A/F）和＿＿＿＿＿＿＿（λ）来标示。

（3）什么叫空燃比？

（4）什么叫理论空燃比？

（5）什么叫过量空气系数？

（6）填写表 1.1。

表 1.1　混合气浓度

混合气	空燃比	过量空气系数
理论混合气		
浓混合气		
稀混合气		

（7）气缸内混合气被压缩时有可能通过哪些途径泄漏？

引导问题 3：检测发动机泄漏有哪些常用方法？

（1）测试发动机进气歧管的真空度可分为＿＿＿＿＿＿、＿＿＿＿＿＿和＿＿＿＿＿＿测试 3 种基本类型。

（2）气缸压缩压力测试有＿＿＿＿＿＿＿和＿＿＿＿＿＿＿两种方法。

二、任务实施

引导问题 4：完成本任务，需要使用的主要工、量具有哪些？需要做哪些作业准备和有哪些技术要求？

1. 技术标准与要求

（1）在发动机正常工作时，在怠速条件下，用真空表测量其值应为 50～70 kPa。

（2）急加速时，真空表的读数应突然下降；急减速时，真空表指针将在原怠速时的位置向前大幅度跳越。即当迅速开启和关闭节气门时，真空表指针应随之摆动在 7～8 kPa。

（3）在发动机转速为 1 000 r/min 的条件下进行排气系统阻塞测试，如果读数明显地逐渐下降，则表明排气系统存在阻塞现象。

（4）发动机各气缸压力应不小于原设计规定值的 85%；每缸压力与各缸平均压力的差，汽油机应不大于 8%。

2. 工具、设备和材料的准备

在表 1.2 中填写本任务所需要使用的工、量具。

表 1.2　工、量具名称及型号

名　称	型　号

3. 查询并填写信息

生产年份，车牌号码，行驶里程，发动机型号及排量，车辆识别代号（VIN）（见图 1.2）。

例，帕萨特领驭轿车铭牌（发动机隔板右侧）如图 1.1 所示。

图 1.1　帕萨特领驭轿车铭牌

车辆铭牌的含义如下：

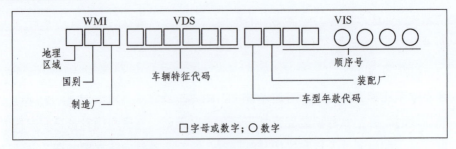

□ 字母或数字；○ 数字

例，帕萨特轿车 17 位 VIN 码，如图 1.2 所示。

图 1.2　帕萨特轿车 17 位 VIN 码

小贴士：

帕萨特轿车 17 位 VIN 码位于左侧风窗玻璃上可观察到。

4. 作业前的准备

（1）汽车进入工位前，将工位清理干净（见图 1.3），准备好相关的器材。

图 1.3　清理工位

（2）套上转向盘护套、变速杆手柄套和座位套，铺设脚垫（见图 1.4）。

图 1.4　铺设 3 件套

（3）将汽车停驻在举升机中央位置。

（4）拉紧驻车制动器操纵杆（见图1.5）。

（5）将变速杆置于空挡或驻车挡（P挡）位置（见图1.6）。

图1.5　拉紧驻车制动器操纵杆　　　　　图1.6　变速杆置于空挡

（6）在车内拉动发动机舱盖手柄，在车外打开并支撑发动机舱盖（见图1.7）。

（7）安装翼子板布和前格栅布（见图1.8）。

图1.7　打开并支撑发动机舱盖　　　　　图1.8　安装翼子板布和前格栅布

引导问题5：怎样规范检查发动机真空度？

（1）拔下节气门后的真空软管（见图1.9）。

（2）连接真空压力表（见图1.10）。

图1.9　拔下真空软管　　　　　图1.10　真空压力表

（3）启动发动机怠速运转。

（4）在发动机正常工作时，在怠速条件下，用真空表测量真空度大小，将所测数据填入表1.3中。

表1.3　真空度怠速检测

真空度检测	真空压力值	标准范围	是否正常
怠速检测			

（5）观察真空压力表指针的变化，填写表1.4。

表1.4　怠速检测真空压力变化

真空度检测	压力变化值	是否正常	引起原因
怠速检测			

（6）在发动机急加速时进行测试，观察真空压力表指针的变化，填写表1.5。

表1.5　急加速真空压力变化

真空度检测	压力变化值	是否正常	引起原因
急加速检测			

（7）排气系统阻塞测试。在发动机转速为1 000 r/min的条件下进行此项测试工作，仔细观察真空表读数，填写表1.6。

表1.6　排气系统阻塞测试真空压力变化

真空度检测	压力变化值	是否正常	引起原因
排气系统阻塞测试			

引导问题6：怎样规范检查发动机气缸压力？

如图 1.11～图 1.20 所示，为检测气缸压力流程图。根据图例，选择与之对应的正确操作步骤。

操作步骤选项：

A. 启动发动机，让发动机预热至正常的工作温度，然后将发动机熄火。

B. 检测蓄电池电压。

C. 打开车门，安装 3 件套。

D. 拉起发动机释放杆，打开发动机舱盖，安装翼子板布和前格栅布。

E. 断开所有点火线圈控制线插头。

F. 拧下点火线圈紧固螺栓。

G. 用压缩空气吹净火花塞周围的脏物。

H. 利用火花塞专用扳手拆下全部火花塞。

I. 取下压力表，记下读数。按下放气阀，使压力表指针回零。此法依次测量各缸，每缸测量 3 次，每缸测量结果取算术平均值，与标准值相比较，分析结果，判断气缸工作状况。

J. 拆卸发动机装饰盖、清洁发动机上部。

K. 关闭点火开关，断开所有喷油器控制线接头。

L. 拔出点火线圈总成。

M. 把专用气缸压力表或锥形橡皮头插在被测量气缸的火花塞孔内，扶正压紧。

N. 将节气门置于全开位置，用起动机带动曲轴转动 3～5 s（不少于 4 个压缩行程），待压力表表针指示并保持最大压力读数后停止转动。

（1）如图 1.11 所示，操作步骤（   ）。

（2）如图 1.12 所示，操作步骤（   ）。

图 1.11

图 1.12

（3）如图 1.13 所示，操作步骤（   ）。

（4）如图 1.14 所示，操作步骤（   ）。

图 1.13

图 1.14

（5）如图 1.15 所示，操作步骤（　　）。

（6）如图 1.16 所示，操作步骤（　　）。

图 1.15

图 1.16

（7）如图 1.17 所示，操作步骤（　　）。

（8）如图 1.18 所示，操作步骤（　　）。

图 1.17

图 1.18

（9）如图 1.19 所示，操作步骤（　　）。

踩到底　　　　　节气门全开

图 1.19

（10）如图 1.20 所示，操作步骤（　　　）。

图 1.20

（11）请将检查结果填写在表 1.7 中。查阅维修手册，对比该车气缸压力标准分析，并填写表 1.8。

表 1.7　气缸压力测试

气缸压力检测	一　缸	二　缸	三　缸	四　缸
第一次				
第二次				
第三次				
各缸平均压力				

表 1.8　气缸压力测试值对比分析

	测试值	标准值	极限值	是否正常
发动机气缸压力				
气缸最大压力差				

（12）湿式压力测试。如果有一个或多个气缸的压缩压力偏低，则可将少量的发动机油通过火花塞孔注入气缸，并对压缩压力低的气缸重复上述检查步骤。如果加入机油有助于改善压缩压力，则说明可能是活塞环或气缸壁磨损或损坏。如果压力仍偏低，则可能是气门卡住了或闭合时不密封，或是气缸垫处有漏气。

> **小贴士：**
> 进行湿式压力测试时，往气缸内加注的机油不能太多，避免损坏活塞连杆组。

（13）火花塞的安装和点火线圈总成的安装按拆卸的相反顺序进行。

（14）工具设备复位。

三、评价与反馈

1. 任务实施考核成绩评定（见表1.9）

表 1.9　发动机动力不足的机械故障诊断考核表

考核项目及分值	考核内容	评分标准	评分记录
准备工作 10分	清洁工量具及其工作台	1. 未清洁工量具扣1分 2. 未清洁工作台扣1分	
真空度检测 30分	打开车门，安装3件套 安装翼子板布和前格栅布 拔下节气门后的真空软管 连接真空压力表 启动发动机怠速运转 读数分析	1. 未正确拆卸各个部件一次扣2分 2. 未安装防护装置扣3分 3. 检测方法错误扣5分 4. 读数错误　扣2分 5. 分析错误和处理措施错误扣3分	
气缸压力检测 10分	安装3件套 安装翼子板布和前格栅布 检测蓄电池电压 拆卸各元件接头 拆卸火花塞 利用压力表检测压力 读数记录分析 安装火花塞和点火线圈	1. 未正确拆卸各个部件一次扣2分 2. 未安装防护装置扣3分 3. 检测方法错误扣5分 4. 读数错误扣2分 5. 分析错误和处理措施错误扣3分 6. 未断开喷油器接头扣3分 7. 未正确安装一次扣2分	
收尾工作 10分	1. 清洁工具、量具、工作台 2. 工、量具应摆放整齐	1. 未清洁扣1~3分 2. 未摆放整齐扣1分	
考核时限	完成全部考核内容规定用时为20分钟	1. 超时每分钟扣5分 2. 超时5分钟即停止记分	

2. 任务过程评价与反馈（见表1.10和表1.11）

表1.10 任务过程评价表（教师填写）

考核项目	评分标准	分数	成绩	过程评价
劳动纪律	有无迟到、早退和旷工	5		
团队合作	是否和谐	5		
活动参与	是否精彩	5		
安全生产	有无安全隐患	10		
操作过程	是否正确、熟练	30		
任务质量	是否圆满完成	10		
工具、设备使用	是否规范、标准	10		
工作页填写	是否完整、规范	15		
现场5S	是否做到	10		
总　分		100		

注：没有按照操作流程操作，出现人身伤害或设备严重事故，本任务考核结果为0分。

表1.11 任务过程反馈表（学生填写）

反馈内容	回答
你是否完成本学习任务，并得到老师的确认？	
你是否能准确有效地收集、分析和组织完成资料，正确地交流信息？	
你是否已经掌握预期的知识和必备的技能？	
你是否充分使用学习资源和按计划有组织地完成目标？	
操作完成水平： 上述表格中的项目应为肯定回答。若不是，应咨询老师。你可以要求附加相关活动，以便完成相关的操作技能。 教师签字：_____ 学生签字：_____ 完成日期：_____	

学习任务二 发动机控制单元电源电路的检修

情景描述

一辆帕萨特在行驶过程中，由于发动机 ECU 供电部分有故障，造成发动机不能启动，要求查明故障原因并进行处理。

任务描述

认知发动机集中控制系统 ECU 的构成，认识帕萨特轿车电路图，正确使用电脑故障检测仪检测发动机控制单元内故障代码和数据，使用专用万用表检测控制单元供电电路故障，排除发动机控制单元控制线路故障。

学习目标

通过本学习任务的学习，应当能：

(1) 明白电子控制单元的功能。

(2) 知道发动机集中控制系统 ECU 的构成。

(3) 清楚大众汽车电路图的规则。

(4) 识读帕萨特轿车电路图。

(5) 正确使用电脑故障检测仪检测发动机电子控制系统。

(6) 正确检查控制单元供电是否正常。

建议学时

➢ 6 课时。

学习内容

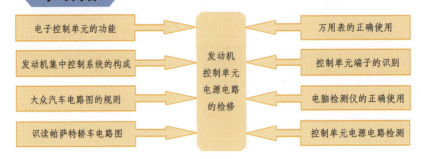

一、任务准备

引导问题 1：如何识读上海大众车电路图？

（1）汽车电路的特点是什么？

（2）大众汽车电路图的特点是什么？

（3）如图 2.1 所示，请填写图中各个序号名称。

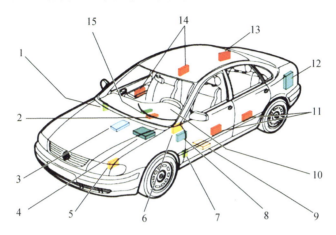

图 2.1　大众汽车电路主要控制元件位置

1. _____；2. _____；3. _____；4. _____；5. _____；6. _____；
7. _____；8. _____；9. _____；10. _____；11. _____；12. _____；
13. _____；14. _____；15. _____。

（4）如图 2.2 所示，请填写图中各个序号名称。

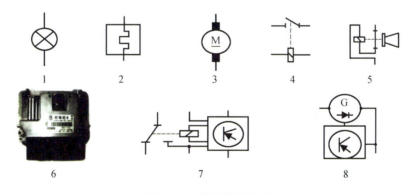

图 2.2　电器元件示意图

1. _____；2. _____；3. _____；4. _____；5. _____；6. _____；
7. _____；8. _____。

（5）线束常用颜色如表 2.1 所示。

表 2.1　线束常用颜色

颜　色	代号字母	颜　色	代号字母
红	R	紫	V
黑	B	橙	O
白	W	红　黄	RY
黄	Y	黄　绿	YG
绿	G	绿　白	GW
棕	Br	黑　绿	BG
蓝	Bl	黑　白	BW
灰	Gr	蓝　橙	BlO

（6）如图 2.3 所示，请填写图中各个序号名称。

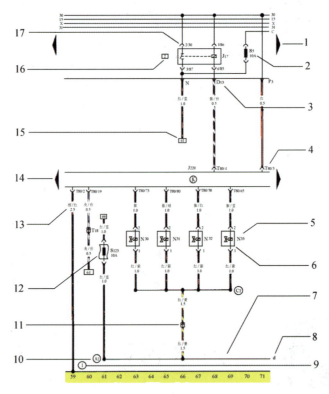

图 2.3　上海大众汽车电路图

1. _____；2. _____；3. _____；4. _____；5. _____；6. _____；
7. _____；8. _____；9. _____；10. _____；11. _____；12. _____；
13. _____；14. _____；15. _____；16. _____；17. _____。

引导问题 2：发动机电子控制单元的作用和构成是怎样的？

（1）简述电子控制单元功能。

（2）如图 2.4 所示，请填写图中各个序号名称。

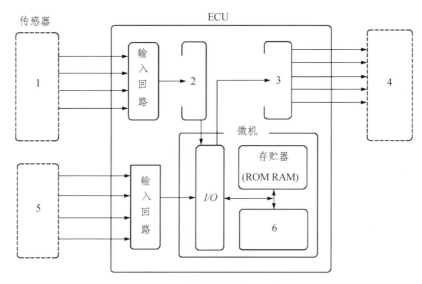

图 2.4　电子控制单元组成

1. _____；2. _____；3. _____；4. _____；5. _____；6. _____。

（3）A/D 转换器的作用是什么？

（4）微处理器主要由_____、_____、_____和_____组成。

（5）发动机 ECU 有哪些常见故障？

二、任务实施

引导问题 3：完成本任务，需要使用的主要工、量具有哪些？需要做哪些作业准备和有哪些技术要求？

1. 技术标准与要求

（1）蓄电池电压不小于 11 V。

（2）各连接线之间的电阻小于 0.5 Ω。

2. 工具、设备和材料的准备

在表 2.2 中填写本任务所需要使用的工、量具。

表2.2　工、量具名称及型号

名　称	型　号

3. 查询并填写信息

车辆信息登记见表2.3。

表2.3　车辆信息登记

车辆信息	车辆识别代码	VIN
	发动机型号	

4. 作业前的准备

（1）汽车进入工位前，将工位清理干净，准备好相关的器材。

（2）套上转向盘护套、变速杆手柄套和座位套，铺设脚垫。

（3）将汽车停驻在举升机中央位置。

（4）拉紧驻车制动器操纵杆。

（5）将变速杆置于空挡或驻车挡（P挡）位置。

（6）在车内拉动发动机舱盖手柄，在车外打开并支撑发动机舱盖。

（7）安装翼子板布和前格栅布。

引导问题4：如何确认故障现象?

故障现象确认：

（1）插入点火开关钥匙，打开点火开关，观察故障指示灯是否常亮。

（2）启动发动机，观察发动机故障现象（见表2.4）。

表2.4　故障现象确认

故障再现	故障指示灯	
	启动发动机，观察并描述故障现象	

引导问题5：如何建立诊断仪与ECU的对话?

（1）关闭点火开关，连接故障诊断仪（电脑故障诊断仪见图2.5），连接位置如图2.6所示。

小贴士：

　　连接故障阅读仪进行检测时要满足以下条件：蓄电池电压不小于11 V；发动机与变速箱的接地正常；燃油泵继电器正常；保险丝完好。

图 2.5　电脑故障诊断仪　　　　　　　　图 2.6　诊断仪连接

（2）打开诊断仪电源（见图 2.7），启动诊断仪。

（3）进入诊断系统初始界面（见图 2.8）。

图 2.7　电脑故障诊断仪电源开关　　　　图 2.8　启动诊断仪

（4）打开点火开关，选择车辆自诊断（见图 2.9）。

（5）选择发动机电子系统（见图 2.10）

图 2.9　选择诊断模式　　　　　　　　图 2.10　选择车辆系统

（6）解码器和发动机控制单元 J220 能否通讯，在表 2.5 中打"√"。如果能建立，则显示车辆信息，如图 2.11 所示。

表 2.5　建立通讯

建立通讯	能通讯	不能通讯

引导问题 6：如何检测 ECU 供电电路？

ECU 供电电路检测工艺流程如图 2.12 所示。

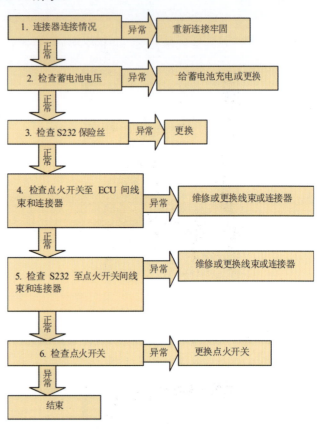

1. 连接器连接情况 —异常→ 重新连接牢固
　↓正常
2. 检查蓄电池电压 —异常→ 给蓄电池充电或更换
　↓正常
3. 检查 S232 保险丝 —异常→ 更换
　↓正常
4. 检查点火开关至 ECU 间线束和连接器 —异常→ 维修或更换线束或连接器
　↓正常
5. 检查 S232 至点火开关间线束和连接器 —异常→ 维修或更换线束或连接器
　↓正常
6. 检查点火开关 —异常→ 更换点火开关
　↓异常
结束

图 2.11　建立起通讯显示车辆信息　　　　图 2.12　ECU 供电电路检测工艺流程图

（1）外观目检。

关闭点火开关，打开发动机舱盖，安装翼子板布和翼子板布，检查 ECU 连接器连接情况，完成表 2.6。

表 2.6　ECU 目检

故障部位	检查结果	维修建议
ECU 外观是否受损		
线束连接器连接是否可靠		

（2）线路检测。

① 检查蓄电池电压，将检查结果填在表 2.7 中。

表 2.7　蓄电池检测

故障部位	电压值	是否正常	维修建议
蓄电池			

② 用万用表检测保险丝 S232（见图 2.13）是否正常，将检查结果填在表 2.8 中。

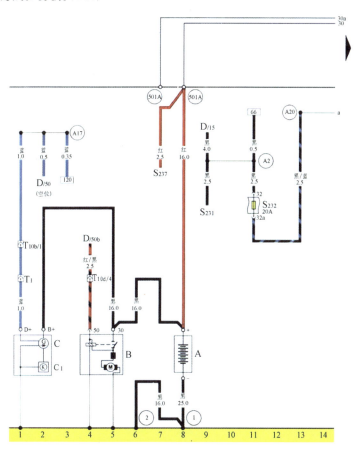

ANQ发动机电路图（上海帕萨特GLi、GSi轿车）

蓄电池、起动机、发电机（1-14）

A — 蓄电池
B — 起动机
C — 发电机
C₁ — 发电机调压器
D — 点火开关
S₂₃₁ — 保险丝31，15A，在保险丝架上
S₂₃₂ — 保险丝32，20A，在保险丝架上
S₂₃₇ — 保险丝37，20A，在保险丝架上
T₁ — 单针插头，蓝色，在发动机缸体的右侧
T₁₀ᵦ — 10针插头，黑色，在发动机室控制单元
　　　防护罩内的左侧（1号位）
T₁₀ᵦ — 10针插头，棕色，在发动机室控制单元防护罩内的左侧（2号位）

Ⓐ₂ 一正极连线（15），在仪表板线束内
Ⓐ₁₇ 一连接线（61），在仪表板线束内
Ⓐ₂₀ 一连接线（15a），在仪表板线束内
① 一接地点，蓄电池至车身
② 一接地点，变速器至车身
⑤₀₁ₐ 一螺栓连接点2（30B号火线），
　　　在继电器板上

图 2.13　J220 电路（一）

表 2.8　S232 保险丝检测

故障部位	检查结果	是否正常	维修建议
S232 保险丝			

③ 如果 S232 保险丝正常，断开蓄电池负极，拔下 ECU 连接线插接器（见图 2.14），查看图 2.13、图 2.15 和图 2.16 电路图，检测点火开关 D/15—S232/32（进线）和检查 S232/32a（出线）—J220 插接器的 T80/1 针脚是否断路。检查 J220 插接器的 T80/3 针脚—蓄电池正极是否导通，打开点火开关，检查 D/15—蓄电池是否导通。将检查结果填在表 2.9 中。

图 2.14　断开 ECU 插接器

表 2.9　线路检测

故障部位	检查结果	是否正常	维修建议
D/15—S232/32			
S232/32a—T80/1 阵脚			
T80/3 针脚—蓄电池			
D/15—蓄电池			

④ 查看图 2.16 和图 2.17 电路图，检测 J220 的搭铁线路，将检查结果填在表 2.10 中。

表 2.10　搭铁检测

故障部位	检查结果	是否正常	维修建议
T80/2 搭铁			
T80/67 搭铁			

（3）连接 J220 连接线插接器。

（4）连接蓄电池负极。

（1）重复与 ECU 建立对话步骤的（1）～（6），看到所检测车辆的信息。

（2）如图 2.18 所示，点击屏幕右下角的三角箭头，进入车辆自诊断界面。

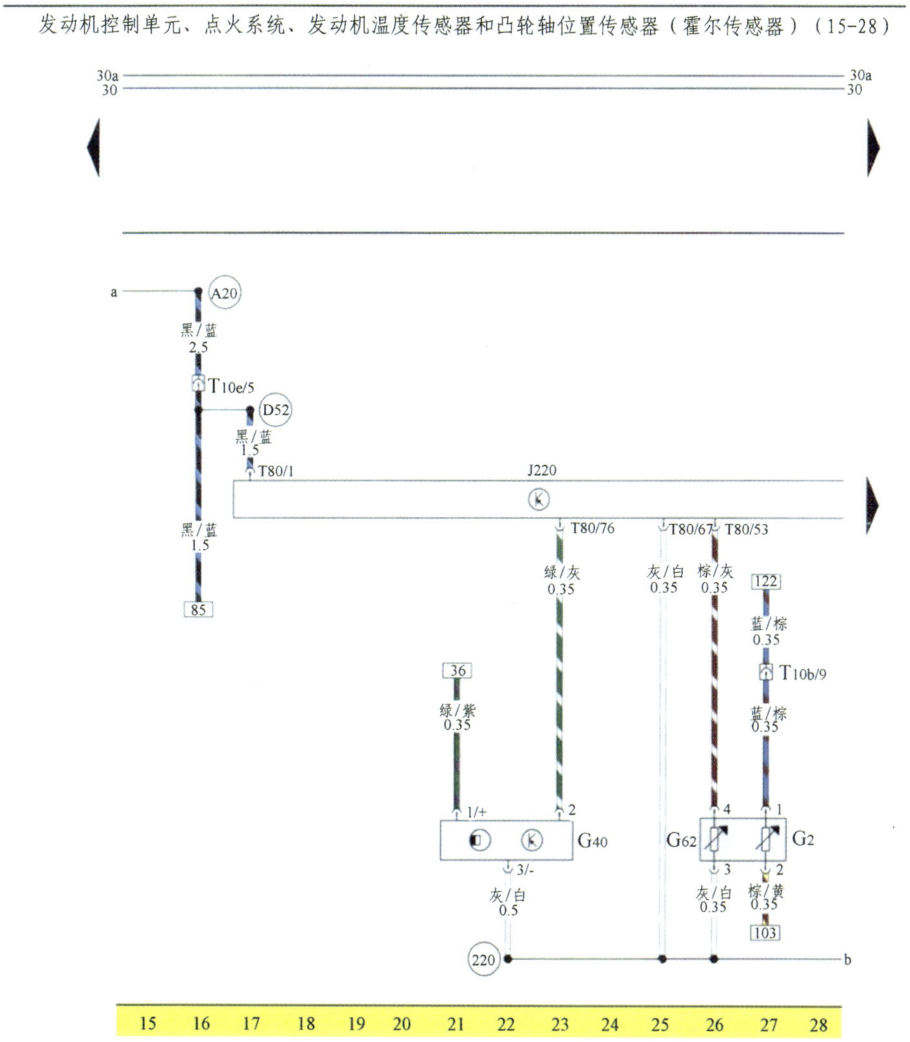

发动机控制单元、点火系统、发动机温度传感器和凸轮轴位置传感器（霍尔传感器）（15-28）

G2 —发动机温度传感器（用于水温表）
G40 —凸轮轴位置传感器（霍尔传感器）
G62 —发动机温度传感器
J220 —发动机控制单元，在发动机室的防护罩内
T10b —10 针插头，黑色，在发动机室控制单元防护罩内的左侧（1 号位）
T10e —10 针插头，橙色，在发动机室控制单元防护罩内的左侧（4 号位）
T80 —80 针插头，在发动机室控制单元上
A20 —正极连接线（15a），在仪表板线束内
D52 —正极连接线（15a），在发动机线束内
220 —接地连接线（传感器接地点），在发动机线束内

图 2.15　J220 电路（二）

发动机控制单元、节气门控制部件、爆震传感器1和进气温度传感器（29-42）

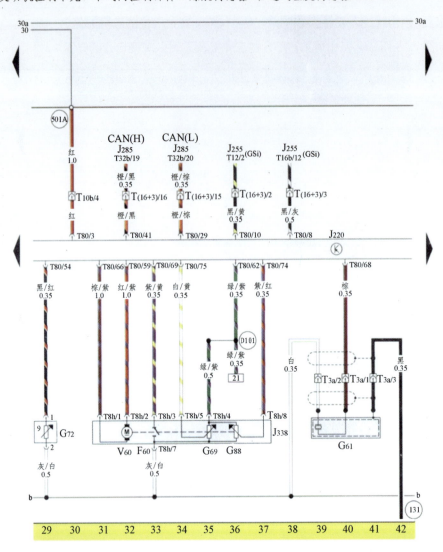

图 2.16　J220 电路（三）

CAN(H) —CAN总线的高位
CAN(L) —CAN总线的低位
F60　　—怠速开关
G61　　—爆震传感器1
G69　　—节气门电位计
G72　　—进气温度传感器
G88　　—节气门定位电位计
J220　　—发动机控制单元，在发动机室的防护罩内
J255　　—自动空调控制单元（GSi）
J285　　—组合仪表控制单元
J338　　—节气门控制部件
T3a　　—3针插头，绿色，在挡水隔板的左侧
T8h　　—8针插头，在节气门控制部件上
T10b　　—10针 插头，黑色，在发动机控制单元防护罩
　　　　　内的左侧（1号位）
T12　　—12针插头，黑色，在仪表板下（GSi）

T16b　　—16针插头，棕色，在仪表板下（GSi）
T(16+3)　—19针插头，橙/红色，在发动机室控制单元
　　　　　防护罩内（3号位）
T32b　　—32针插头，绿色，在组合仪表上
T80　　—80针插头，在发动机控制单元上
V60　　—怠速稳定电机
D101　—连接线1，在发动机室线束内
131　—接地连接线，在发动机室线束内（由12分出）
501A　—螺栓连接点2（30B号火线），在继电器上

· 22 ·

发动机控制单元，曲轴位置传感器（发动机转速传感器）和爆震传感器2（43-56）

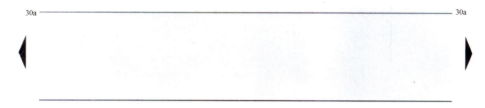

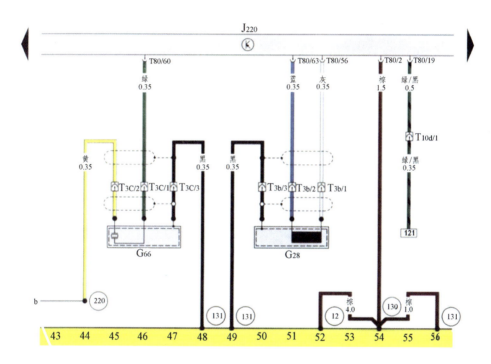

G28 — 曲轴位置传感器（发动机转速传感器）

G66 — 爆震传感器2

J220 — 发动机控制单元，在发动机室的防护罩内

T3b — 3针插头，灰色，在挡水隔板的左侧

T3c — 3针插头，蓝色，在挡水隔板的左侧

T10d — 10针插头，棕色，在发动机室控制单元防护罩内的左侧（2号位）

T80 — 80针插头，在发动机室控制单元上

⑫ — 接地点，在挡水隔板的左侧

⑬⓪ — 接地连接线，在发动机室线束内（由 ⑫ 分出）

⑬① — 接地连接线，在发动机室线束内（由 ⑫ 分出）

②②⓪ — 接地连接线（传感器接地点），在发动机室线束内

图2.17 J220电路（四）

（3）选择 02-读取故障代码（见图 2.19）。

（4）读出故障代码（见图 2.20），将你读取的故障代码填入表 2.11 中。

图 2.18　进入车辆自诊断界面

图 2.19　选择读取故障代码

图 2.20　故障代码界面

表 2.11　读故障代码

故障代码	代码含义

引导问题 8：如何读取 ECU 中的数据？

（1）在图 2.19 所示的故障自诊断界面选择 08-读测量数据流（图 2.21）。

（2）输入需读数据块通道号，如图 2.22 所示的"003"，点击左侧的"确定"进入。

（3）读取数据。数据流界面如图 2.23 所示。如果要读取其他的数据，可以返回重新输出通道号，快速查到所需的数据，如果不记得通道号，可以点图 2.23 中的上下黑色三角指示箭头，上翻或下翻数据块。请读取表 2.12 中的数据值。

图 2.21　选择读测量数据流

图 2.22　输入通道号

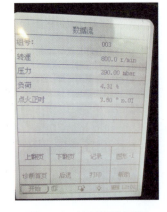
图 2.23　读数据流界面

表 2.12　记录数据

检测内容	数　值	单　位
发动机转速		
喷油量		
冷却液温度		
进气温度		
点火提前角		
节气门开度		
进气量		
发动机负荷		
氧传感器修正值		

三、评价与反馈

1. 任务实施考核成绩评定（表 2.13）

表 2.13　发动机控制单元电源电路检修考核表

考核项目及分值	考核内容	评分标准	评分记录
准备工作 10分	清洁工量具及其工作台	1. 未清洁工量具扣1分 2. 未清洁工作台扣1分	
故障确认 10分	安装3件套 检查故障指示灯 启动发动机，检查故障现象	1. 未安装3件套扣2分 2. 未检查故障指示灯情况扣4分 3. 未起动发动机扣5分 4. 描述故障现象错误一次扣3分	
连接诊断仪进入系统 10分	连接诊断仪 启动诊断仪 进入系统	1. 未清洁扣5分 2. 检查方法错扣5分 3. 检查部位错误扣5分 4. 传动带翻转检查扣8分	
检测ECU 40分	外观目检 断开ECU插接器 线路检测 连接ECU连接器	1. 外观检测错误一次扣2分 2. 断开ECU前未断蓄电池负极扣10分 3. 检测方法错误一次扣2分 4. 检查结果不正确一次3分	
检查ECU储存的故障信息 20分	读取故障代码 读取数据流	1. 操作系统错误一次扣2分 2. 未清除故障代码扣3分 3. 读取数据错误扣一次3分	
收尾工作 10分	1. 清洁工具、量具、工作台 2. 工、量具应摆放整齐	1. 未清洁扣1~3分 2. 未摆放整齐扣1分	
考核时限	完成全部考核内容规定用时为20分钟	1. 超时每分钟扣5分 2. 超时5分钟即停止记分	

2. 任务过程评价与反馈（见表2.14和表2.15）

表2.14 任务过程评价表（教师填写）

考核项目	评分标准	分数	成绩	过程评价
劳动纪律	有无迟到、早退和旷工	5		
团队合作	是否和谐	5		
活动参与	是否精彩	5		
安全生产	有无安全隐患	10		
操作过程	是否正确、熟练	30		
任务质量	是否圆满完成	10		
工具、设备使用	是否规范、标准	10		
工作页填写	是否完整、规范	15		
现场5S	是否做到	10		
总　分		100		

注：没有按照操作流程操作，出现人身伤害或设备严重事故，本任务考核结果为0分。

表2.15 任务过程反馈表（学生填写）

反馈内容	回答
你是否完成本学习任务，并得到老师的确认？	
你是否能准确有效地收集、分析和组织完成资料，正确地交流信息？	
你是否已经掌握预期的知识和必备的技能？	
你是否充分使用学习资源和按计划有组织地完成目标？	
操作完成水平： 　上述表格中的项目应为肯定回答。若不是，应咨询老师。你可以要求附加相关活动，以便完成相关的操作技能。 教师签字：_____ 学生签字：_____ 完成日期：_____	

学习任务三　空气供给系统（电控）检修

情景描述

一辆帕萨特的发动机动力不足，加速时发动机转速只能达到 3 000 r/min，初步怀疑是空气供给系统电控部分出现问题，请根据维修手册对该车空气供给系统电控系统进行检修。

任务描述

认识空气供给系统结构组成，识别空气供给系统传感器、执行器工作过程及电路图，选择合适的检测工具和设备，对空气供给系统进行检测，排除由空气供给系统零部件引起的常见故障。

学习目标

通过本学习任务的学习，应当能：
(1) 知道空气供给系统的结构组成。
(2) 认识空气供给系统主要传感器。
(3) 知道怠速控制阀的工作原理。
(4) 认识空气供给系统电路图。
(5) 检测空气供给系统主要传感器、执行器。

建议学时

➢ 6 课时。

学习内容

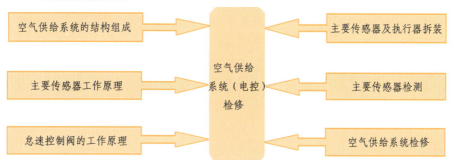

一、任务准备

引导问题 1：发动机空气供给系统（电控部分）的组成有哪些？

如图 3.1 所示为帕萨特 B5 空气供给系统（电控部分）主要部件：空气流量计 G70、进气温度传感器 G72 和节气门控制部件 J338。

图 3.1　空气供给系统（电控部分）主要部件

节气门体控制部件里主要有：_____

_____等几部分。

空气流量计主要用来检测进入发动机的进气量，根据进气量的大小，转换成电信号，再通过 A/D 模数转换器转换成数字信号传递给发动机 ECU，ECU 依据空气流量信号来计算基本供油量。节气位置传感器主要用来检测节气门的位置或开度，将位置信号传递给 ECU，ECU 依据此信号作为发动机负荷信号来控制最佳的喷油脉宽和点火时间。节气门控制电机专门用来控制节气门的开度，包括发动机怠速控制。

引导问题 2：发动机空气供给系统（电控部分）主要部件的工作原理是什么？

1. 空气流量计

热线式空气流量计的工作原理如图 3.2 所示，在进气管道中放置热线电阻 R_H，当空气流过热线时，热线的热量被空气吸收，使其变冷。热线周围通过的空气质量流量越大，被带走的热量将增加。热线式空气流量计是利用热线与空气之间的这种热传递现象进行空气质量流量测量的。其工作原理是将热线温度与吸入空气温度差保持在 100 ℃，热线温度由混合集成电路控制，当空气质量流量增大时，由于空气带走的热量增多，为保持热线温度，混合集成电路使热线电阻通过的电流增大，反之，则减小。这样，使得通过热线电阻的电流是空气质量流量的单一函数，即热线电流随着空气质量流量的增大而增大，随空气质量流量减小而减小。

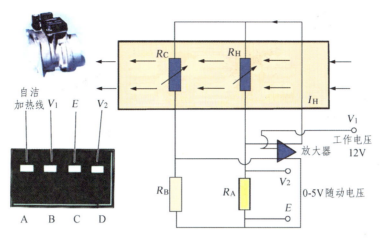

图 3.2 热线式空气流量计的工作原理图

空气流量计的信号电压随着空气流量的增大而_____。

2. 进气温度传感器

进气温度传感器结构和工作原理如图 3.3 所示，进气温度传感器检测_____并转化为电信号，传送给 ECU，作为燃油喷射和点火正时控制的_____信号。它安装在_____。

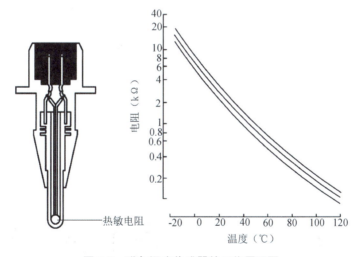

图 3.3 进气温度传感器的工作原理图

进气温度传感器具有负温度系数热敏电阻特性，进气温度升高，热敏电阻值降低，相反，进气温度降低，热敏电阻值_____。

3. 节气门位置专感器

帕萨特 B5 节气门是电子节气门，如图 3.4 所示。节气门位置传感器 G187、G188 属于节气门控制部件 J338 的一部分，它们与 ECU 之间的关系如图 3.5 所示。节气门位置传感器工作原理如图 3.6 所示。

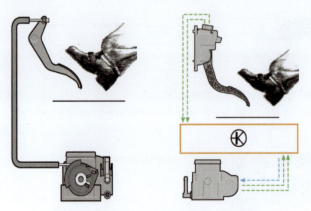

图 3.4　机械节气门与电子节气门比较图

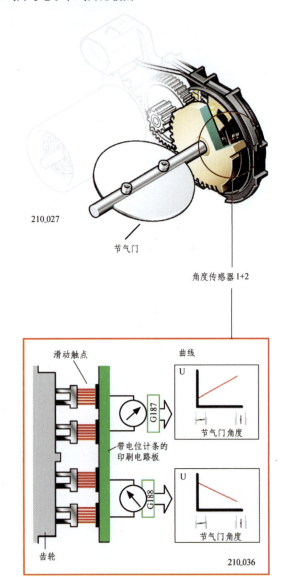

210_027

节气门

角度传感器1+2

图 3.5　节气门控制部件间的联系

图 3.6　节气门位置传感器工作原理图

（1）普通节气门与电子节气门的主要区别是_____。

（2）节气门位置传感器 G187 的信号电压随着节气门开度增大而_____

_____。

（3）节气门位置传感器 G188 的信号电压随着节气门开度增大而_____

_____。

4. 节气门控制电机

节气门控制电机结构及控制原理如图 3.7 所示，节气门控制电机通过减速机构控制节气门的开度，也控制怠速。

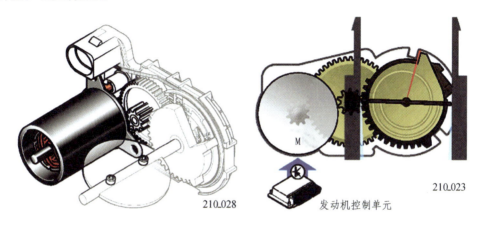

图 3.7　节气门控制电机结构示意图

节气门控制电机是怎样控制怠速的？_____

_____

_____

_____

_____

引导问题 3：你能识读空气供给系统（电控部分）电路图吗？

帕萨特 B5 轿车空气供给系统（电控部分）电路图如图 3.8、图 3.9 所示，仔细识读电路图，根据你的理解，回答后面的问题。

（1）电路图中 F60 是_____；V60 是_____。

（2）为什么空气流量传感器 G70 上只有 2、3、4、5 而没有 1？_____

_____

_____。

发动机控制单元、节气门控制部件、爆震传感器1和进气温度传感器（29-42）

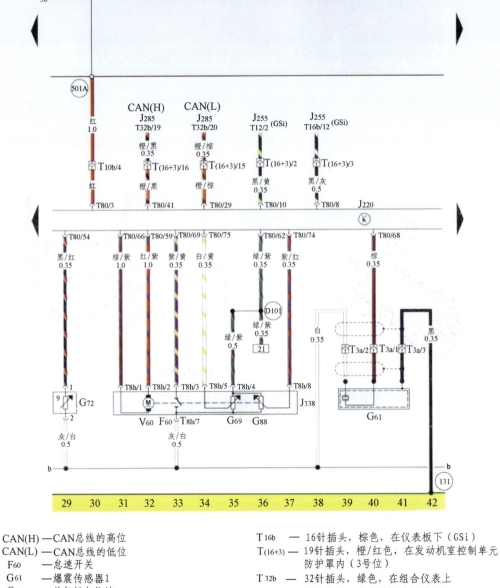

CAN(H)—CAN总线的高位
CAN(L)—CAN总线的低位
F60　—怠速开关
G61　—爆震传感器1
G69　—节气门电位计
G72　—进气温度传感器
G88　—节气门定位电位计
J220　—发动机控制单元，在发动机室的防护罩内
J255　—自动空调控制单元（GSi）
J285　—组合仪表控制单元
J338　—节气门控制部件
T3a　—3针插头，绿色，在挡水隔板的左侧
T8h　—8针插头，在节气门控制部件上
T10b　—10针插头，黑色，在发动机室控制单元
　　　防护罩内的左侧（1号位）
T12　—12针插头，黑色，在仪表板下（GSi）

T16b　—16针插头，棕色，在仪表板下（GSi）
T(16+3)　—19针插头，橙/红色，在发动机室控制单元
　　　防护罩内（3号位）
T32b　—32针插头，绿色，在组合仪表上
T80　—80针插头，在发动机控制单元上
V60　—怠速稳定电机
D101　—连接线1，在发动机线束内
131　—接地连接线，在发动机线束内（由 12 分出）
501A　—螺栓连接点2（30B号火线），在继电器板上

图 3.8　控制单元、进气温度传感器、节气门部件

发动机控制单元、空气质量计、燃油泵继电器和喷嘴（57-70）

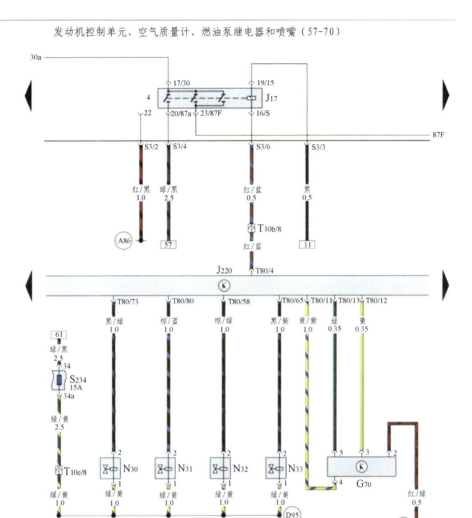

G70 — 空气质量计
J17 — 燃油泵继电器，在继电器板上4号位（208继电器）
J220 — 发动机控制单元，在发动机室的防护罩内
N30 — 喷嘴，第1缸
N31 — 喷嘴，第2缸
N32 — 喷嘴，第3缸
N33 — 喷嘴，第4缸
S3 — 6针插座，红色，在中央电器板处
S234 — 保险丝34，15A，在保险丝架上
T10b — 10针插头，黑色，在发动机室控制单元防护罩内的左侧（1号位）
T10e — 10针插头，橙色，在发动机室控制单元防护罩内的左侧（4号位）
T80 — 80针插头，在发动机室控制单元上
A86 — 连接线（50a），在仪表板线束内
D95 — 正极连接线（喷嘴），在发动机室线束内
E30 — 正极连接线（87a），在发动机室线束内

图 3.9　控制单元、空气流量计

二、任务实施

引导问题 4：完成空气供给系统（电控部分）拆装、电路检测等任务，需要使用的工、量具有哪些？你借助哪些资料和需要做哪些作业准备？

1. 工具、设备和材料的准备

在表 3.1 中填写本任务所需要使用的工、量具。

表 3.1　工、量具名称及型号

序　号	名　　称	型　　号

2. 查询并填写信息

车辆信息登记见表 3.2。

表 3.2　车辆信息登记

车辆信息	车辆识别代码	VIN
	发动机型号	

3. 作业前的准备

（1）汽车进入工位前，将工位清理干净，准备好相关的器材。

（2）套上转向盘护套、变速杆手柄套和座位套，铺设脚垫。

（3）将汽车停驻在举升机中央位置。

（4）拉紧驻车制动器操纵杆。

（5）将变速杆置于空挡或驻车挡（P 挡）位置。

（6）在车内拉动发动机舱盖手柄，在车外打开并支撑发动机舱盖。

（7）安装翼子板布和前格栅布。

引导问题 5：如何检测空气流量计、节气门控制部件？

空气流量传感器检测工艺流程如图 3.10 所示。

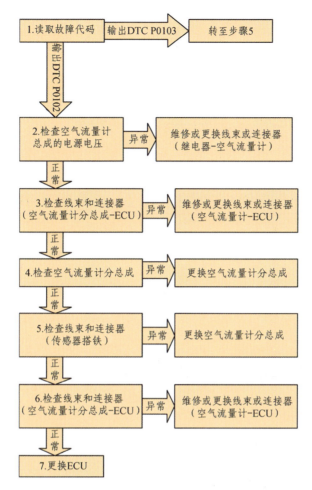

图 3.10　空气流量传感器检测工艺流程图

1. 空气流量计检测

（1）检测空气流量计优先选用设备，如图 3.11 所示。

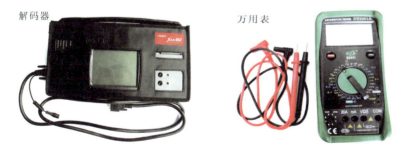

图 3.11　空气流量计检测设备

（2）空气流量计检测条件。

① 检测前应将发动机预热到 80 ℃。

② 关闭用电器（检测时，散热器风扇不应转动）。

③ 关闭空调。

④ 熔断器 S34 必须是正常的。

⑤ 自动变速器的必须置于"P"挡。

（3）空气流量计检测。

① 如图 3.12 所示，使用故障诊断仪读故障码、读取数据流，将检测情况填表入表 3.3 中。

② 使用专用工具及万用表等对照表 3.4 检测空气流量计电源电压、信号电压及线路，空气流量插接器针脚如图 3.13 所示，将检测情况填入表 3.3。

图 3.12　读取故障码、数据流

（a）热膜式空气流量计

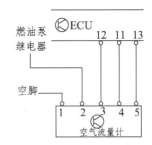

（b）热膜式空气流量计电路图

图 3.13　空气流量计插接器针脚图

表 3.3　检测情况登记表

检查项目	检查结果		空气流量计状态
	标准值	测量值	
读故障码	无		
读取数据流	2.0～6.0 g/s		
供电电压检测	11.5～14.5		
信号检测	0～5 V		
搭铁线检查			

表 3.4 空气流量计、检测盒及 ECU 插接器针脚

空气流量插接器针脚	专用检测盒针脚	ECU 针脚
1	26	
3	27	
4	53	
5	29	

2. 进气温度传感器检查

进气温度传感器检测同检测空气流量传感器相似,只是在读取数据流的时候分别读两次,第一次正常读取,第二次读取数据流之前应按如图 3.14 所示位置喷制冷剂,喷后再读取数据流。检查线路时按如图 3.15 所示检测盒、插接器针脚检查。

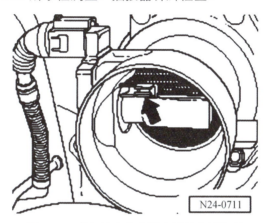

图 3.14 进气温度传感器喷射制冷剂位置

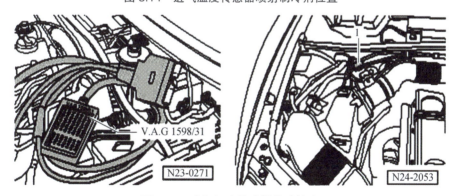

图 3.15 进气温度传感器线路检查

3. 节气门控制部件检查

(1) 怠速开关 (F60) 检查。

参见前面故障诊断仪及专用设备的检测步骤或程序。读取 098 组数据流,怠速时,如图 3.16 所示,应显示:Idling(怠速)。如果节气门逐渐打开,如图 3.16 所示,诊断仪应过渡显示为:Part throttle(部分负荷)。将检测数据填入表 3.5。

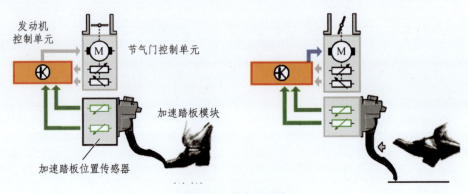

图 3.16　节气门状态

表 3.5　读取数据流情况登记表

节气门状态	显示内容	正常原因	检测结果
部分开	部分负荷		
全　关	怠　速		
搭铁线路检查			
信号线路检查			

　　如果检测不正常时，应作将节气门控制部件插接器取下，跨接如图 3.17 中插接器针脚 3 与 7，故障诊断仪应显示为"怠速"，断开 3 和 7 时应显示"部分负荷"。否则应更换节气门控制部件。

　　(2) 节气门电位计（G88）、怠速电机（V60）检查。

　　参见前面故障诊断仪及专用设备的检测步骤或程序。读取 098 组数据流，节气门电位计电压：0.5～4.9 V。点火开关，检查图 3.18 中"1"与"2"间的电阻值：3～200 Ω，完成表 3.6。

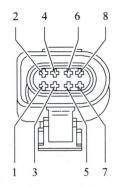

图 3.17　节气门控制部件插接器

表 3.6　节气门电位计、怠速电机检测登记表

检测状态	显示内容或标准值	正常原因或检测值	检查结果
诊断仪数据流			
电位计电源线路			
电位计搭铁线路			
电位计信号线路			
怠速电机电阻			
怠速电机线路			

（3）节气门电位计（G69）检查。

参见前面故障诊断仪及专用设备的检测步骤或程序。读取 098 组数据流，节气门电位计电压随着节气门开度的逐渐增大而均匀增大。在电源和线路正常的条件下，节气门电位计电压不变化则节气门控制部件故障，应更换。检查节气门电位计（G69），将检查情况填入表 3.7 中。

表 3.7　节气门电位计（G69）登记表

检测状态	显示内容或标准值	正常原因或检测值	检查结果
诊断仪数据流			
电位计电源线路			
电位计搭铁线路			
电位计信号线路			

（4）更换节气门控制部件。

当节气门控制部件出现故障时，应更换节气门控制部件，按如图 3.18 所示结构进行拆卸及装复。节气门控制部件更换后，需要进行节气门匹配。

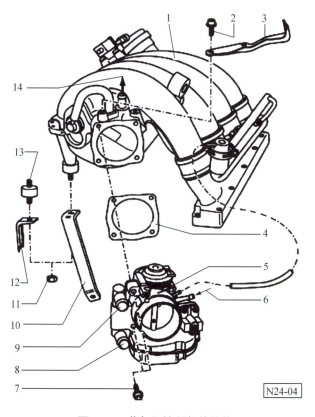

N24-04

图 3.18　节气门控制部件结构

三、评价与反馈

1. 任务实施考核成绩评定（见表3.8）

表3.8 照明系统检修考核表

考核项目及分值	考核内容	评分标准	评分记录
准备 10分	1. 清点工具、清理工位 2. 检查电源断开情况	1. 未清洁工量具、工作台扣3分 2. 未清洁检查设备扣5分	
节气门控制部件的拆卸 20分	1. 正确使用工具 2. 方法及程序正确 3. 正确使用专用工具	1. 不正确使用工具扣5分 2. 方法及程序不正确扣5分 3. 不正确使用专用工具和5分	
空气供给系统（电控）检测 40分	1. 使用诊断仪检测方法、步骤正确 2. 元件及线路检测正确 3. 正确使用专用工具	1. 不能正确操作扣5~10分 2. 不能正确检查扣10~20分 3. 不能正确使用工具扣10分	
主要部件装复与试验 20分	1. 使用正确的工具装复 2. 装复后检查试验	1. 不正确装复扣5分 2. 未做或不正确检查试验扣5分	
收尾工作 10分	1. 清洁工具、量具、工作台 2. 工、量具应摆放整齐	1. 未清洁扣1~3分 2. 未摆放整齐扣1分	
考核时限	完成全部考核内容规定用时为15分钟	1. 超时每分钟扣5分 2. 超时5分钟即停止记分	

2. 任务过程评价与反馈（表3.9和表3.10）

表3.9 任务过程评价表（教师填写）

考核项目	评分标准	分数	成绩	过程评价
劳动纪律	有无迟到、早退和旷工	5		
团队合作	是否和谐	5		
活动参与	是否精彩	5		
安全生产	有无安全隐患	10		
操作过程	是否正确、熟练	30		
任务质量	是否圆满完成	10		
工具、设备使用	是否规范、标准	10		
工作页填写	是否完整、规范	15		
现场5S	是否做到	10		
总　分		100		

注：没有按照操作流程操作，出现人身伤害或设备严重事故，本任务考核结果为0分。

表 3.10 任务过程反馈表（学生填写）

反馈内容	回答
你是否完成本学习任务，并得到老师的确认？	
你是否能准确有效地收集、分析和组织完成资料，正确地交流信息？	
你是否已经掌握预期的知识和必备的技能？	
你是否充分使用学习资源和按计划有组织地完成目标？	
操作完成水平： 上述表格中的项目应为肯定回答。若不是，应咨询老师。你可以要求附加相关活动，以便完成相关的操作技能。 教师签字：_____ 学生签字：_____ 完成日期：_____	

学习任务四　燃油供给系统电路检修

情景描述

一辆帕萨特轿车，由于发动机燃油供给系统电路有故障，造成发动机不能启动，要求你查明故障原因。能对燃油供给系统主要零件进行拆卸、检测及装复等操作。

任务描述

认识电控燃油喷射系统的功能，识别电动燃油泵控制电路和喷油器控制电路，选用合适的检测工具和设备，对燃油泵控制电路和喷油器控制电路及元器件进行检测，排除由燃油泵、喷油器及它们的控制电路引起的故障。

学习目标

通过本学习任务的学习，应当能：

（1）知道电控燃油喷射系统的功能。

（2）知道电动燃油泵控制电路。

（3）知道喷油器的控制过程。

（4）进行燃油泵控制电路检修。

（5）进行喷油器控制电路检修。

建议学时

➢ 6 课时

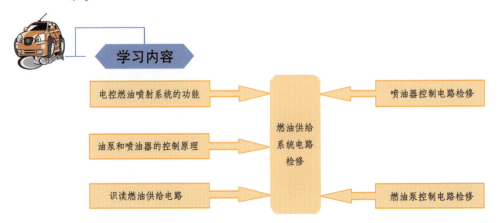

学习内容

· 42 ·

一、任务准备

引导问题 1：汽油发动机燃油供给系统有哪些功能？

1. 燃油供给系统组成

汽油发动机燃油供给系统电控部分主要组成部件如图 4.1 所示，写出各代号对应的名称。

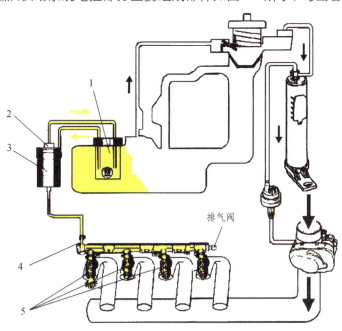

图 4.1　燃油供给系统电控部分组成

1. _____；2. _____；3. _____；4. _____；5. _____。

2. 电控燃油喷射系统的功能

电控燃油喷射系统的功能主要有喷射正时控制、喷油量控制、燃油停供控制、燃油泵控制。解释各功能代表的意义。

（1）喷油正时控制是_____

_____。

（2）喷油量控制是_____

_____。

（3）燃油停供控制是_____

_____。

燃油停供控制还可分为减速断油控制和限速断油控制。

（4）燃油泵控制是_____

_____。

引导问题 2：怎样控制汽油泵、喷油器？

1. 电动燃油泵结构及控制

电动燃油泵结构如图 4.2 所示，它安装在_____，浸在燃油中，它的作用是_____。

电动燃油泵按结构的不同分为：_____、_____和_____等。

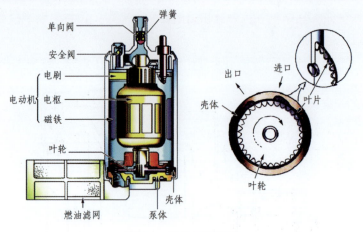

图 4.2　叶片泵结构图

帕萨特 B5 轿车的电动燃油泵控制电路图如图 4.3 所示，控制电路的组成主要有：_____、_____、_____和_____等。其中点火开关主要控制_____，燃油泵继电器控制_____，燃油泵继电器除了受点火开关控制外，还受到_____控制。

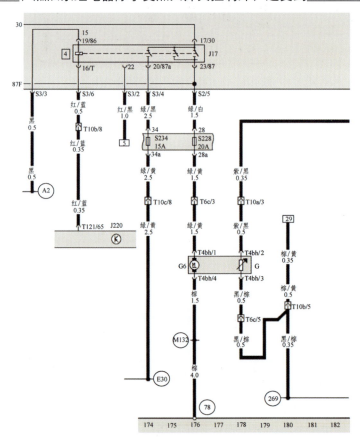

图 4.3　油泵控制电路示意图

2. 喷油器的结构及控制

喷油器结构如图 4.4 所示，主要由外壳、喷油嘴、针阀、衔铁、电磁线圈等组成，写出各代号所代表喷油器的部位。

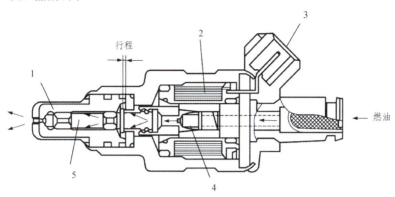

图 4.4　喷油器结构

1. 喷油端部；2. _____；3. _____；4. 衔铁；5. 喷油针阀。

由喷油器结构看出，当喷油器不工作时，针阀在回位弹簧作用下将喷油孔封住。当 ECU 的喷油控制信号将喷油器的电磁线圈与电源回路接通时，针阀才在电磁力的吸引下克服弹簧压力、摩擦力和自身重量，从静止位置往上升起，燃油喷出。在喷油器头部前端被雾化，并通过旋流作用在进气和压缩冲程中形成易于点燃的均匀空气燃油混合气，喷油器打开的时间一般为 1～1.5 ms。喷油量多少是由_____决定。

帕萨特 B5 轿车喷油器控制电路图如图 4.5 所示，控制电路的组成主要有：_____、_____、_____和_____等。

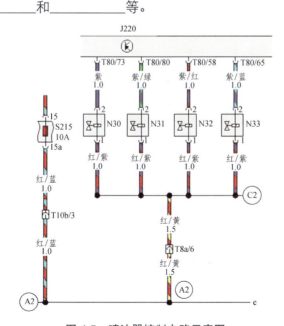

图 4.5　喷油器控制电路示意图

引导问题3：你能识读燃油供给电路图吗？

帕萨特 B5 轿车的燃油供给系统控制电路图如图 4.6、4.7、4.8 所示，仔细识读电路图，根据你的理解，回答后面的问题。

ANQ发动机电路图（上海帕萨特GLi、GSi轿车）

蓄电池、起动机、发电机（1-14）

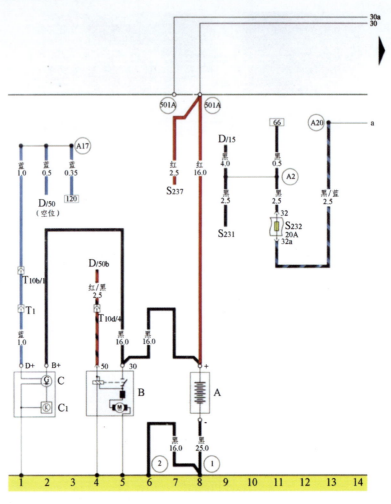

A ── 蓄电池
B ── 起动机
C ── 发电机
C₁ ── 发电机调压器
D ── 点火开关
S₂₃₁──保险丝31，15A，在保险丝架上
S₂₃₂──保险丝32，20A，在保险丝架上
S₂₃₇──保险丝37，20A，在保险丝架上
T₁ ──单针插头，蓝色，在发动机缸体的右侧
T₁₀b──10针插头，黑色，在发动机室控制单元
　　　防护罩内的左侧（1号位）
T₁₀d──10针插头，棕色，在发动机室控制单元防护罩内的左侧（2号位）

A2──正极连线（15），在仪表板线束内
A17──连接线（61），在仪表板线束内
A20──连接线（15a），在仪表板线束内
1──连接点，蓄电池至车身
2──接地点，变速器至车身
501A──螺栓连接点2（30B号火线），在
　　　继电器板上

图 4.6　燃油供给控制电路电源

发动机控制单元、空气质量计、燃油泵继电器和喷嘴（57-70）

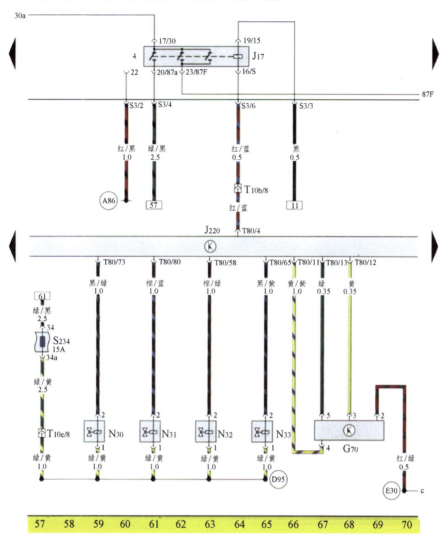

G70 —— 空气质量计
J17 —— 燃油泵继电器，在继电器板上4号位（208继电器）
J220 —— 发动机控制单元，在发动机室的防护罩内
N30 —— 喷嘴，第1缸
N31 —— 喷嘴，第2缸
N32 —— 喷嘴，第3缸
N33 —— 喷嘴，第4缸
S3 —— 6针插座，红色，在中央电器板处
S234 —— 保险丝34，15A，在保险丝架上
T10b —— 10针插头，黑色，在发动机室控制单元防护罩内的左侧（1号位）
T10e —— 10针插头，橙色，在发动机室控制单元防护罩内的左侧（4号位）
T80 —— 80针插头，在发动机室控制单元上
(A86) —— 连接线（50a），在仪表板线束内
(D95) —— 正极连接线（喷嘴），在发动机室线束内
(E30) —— 正极连接线（87a），在发动机室线束内

图 4.7　燃油供给喷油器控制电路

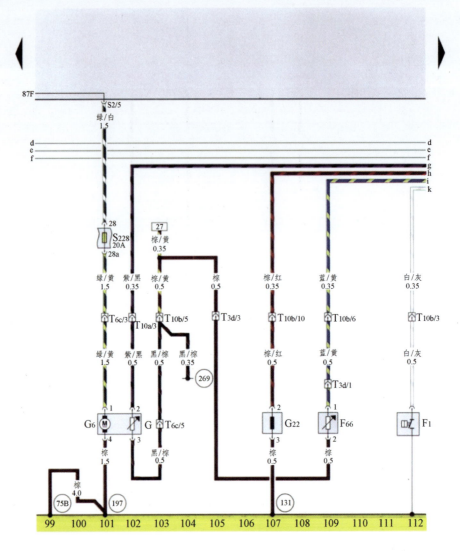

F1 ——机油压力开关

F66 ——冷却液位开关传感器

G ——燃油表传感器

G6 ——燃油泵

G22 ——里程表传感器，在变速器的左侧上

S228 ——保险丝28，20A，在保险丝架上

T3d ——3针插头，在发动机室的左前侧

T6c ——6针插头，蓝色，在左A柱处（11号位）

T10a ——10针插头，棕色，在左A柱处（8号位）

T10b ——10针插头，黑色，在发动机室控制单元防护罩内的左侧（1号位）

(75B) ——接地点，在右后柱处

(131) ——接地连接线，在发动机室线束内

(197) ——接地连接线，在后线束内

(269) ——接地连接线（传感器接地点）1，在仪表板线束内

图4.8 燃油供给油泵控制电路

电路图中 D15 是_____；S234 是_____，它位于_____；N32 是_____；G6_____。

二、任务实施

引导问题 4：完成燃油供给系统控制电路检修任务，需要使用的工、量具有哪些？应借助哪些资料和需要做哪些作业准备？

1. 工具、设备和材料的准备

在表 4.1 中填写本任务所需要使用的工、量具。

表 4.1　工、量具名称及型号

序号	名称	型号

2. 查询并填写信息

车辆信息登记见表 4.2。

表 4.2　车辆信息登记

车辆信息	车辆识别代码	VIN
	发动机型号	

3. 作业前的准备

（1）汽车进入工位前，将工位清理干净，准备好相关的器材。

（2）套上转向盘护套、变速杆手柄套和座位套，铺设脚垫。

（3）将汽车停驻在举升机中央位置。

（4）拉紧驻车制动器操纵杆。

（5）将变速杆置于空挡或驻车挡（P 挡）位置。

（6）在车内拉动发动机舱盖手柄，在车外打开并支撑发动机舱盖。

（7）安装翼子板布和前格栅布。

引导问题 5：怎样检修喷油器控制电路？

喷油器电路检测流程如图 4.9 所示。

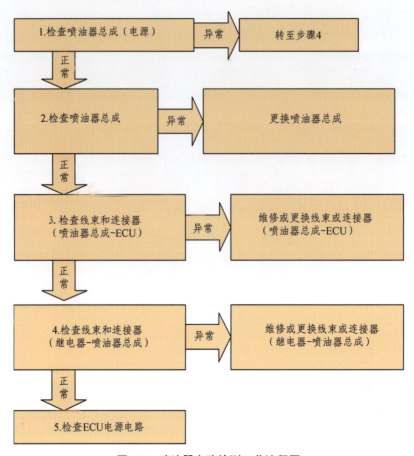

图 4.9　喷油器电路检测工艺流程图

　　检查测试前要保证蓄电池电压至少为 11.5 V，发动机转速传感器、燃油泵继电器正常，34 号熔断器正常，如图 4.10 所示。

图 4.10　熔断器位置图

　　喷油器的检测主要包括喷油器的电阻值、线路检查和动作测试，电阻值检测按如图 4.11 所示位置及插接器操作，图 4.12 所示喷油器的电阻测试应使用故障诊断仪及检测盒。将检查的情况填入表 4.3。

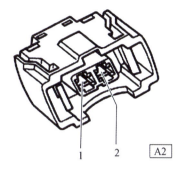

图 4.11 喷油器检测位置及插接器

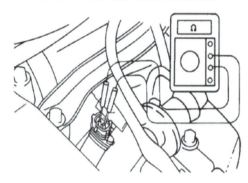

图 4.12 喷油器电阻检测

表 4.3 喷油器检查登记表

检查项目	检查结果		喷油器及电路状态
	标准值	测量值	
喷油器电阻检查	12～15 Ω		
喷油器电源检查			
喷油器线路检查			
喷油器动作测试			
喷油及滴油测试			

引导问题 6：怎样检修燃油泵控制电路？

燃油泵控制电路检测工艺流程如图 4.13 所示。

测试燃油泵前要保证蓄电池电压至少为 11.5 V，可按如下步骤操作检查功能和电源，将检测情况填入表 4.3。

（1）打开点火开关，应该能够听到燃油泵运转的声音，关闭点火开关。

（2）如果燃油泵停止运行：拆下前熔断器盒的盖板。将 28 号熔断器从熔断器盒中拔下，位置如图 4.10 所示。将专用设备 V.A.G1348/3A 用转接器导线 V.A.G134 的-2 接到燃油泵触点 28a 和蓄电池正极（+）上，如图 4.14 所示。

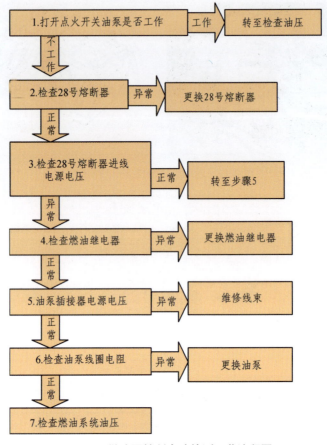

图 4.13　燃油泵控制电路检测工艺流程图

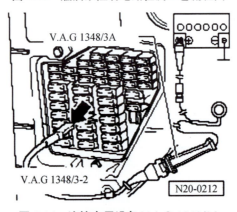

图 4.14　连接专用设备 V.A.G 1348/3A

（3）按下遥控器按钮或接通 28 号熔断器。

（4）燃油泵运转：检查燃油泵继电器，按继电器方法检查。

（5）燃油泵不运行：从图 4.15 中箭头处所指的燃油箱盖法兰上拔下 4 极插接器。

（6）用辅助导线 V.A.G1594 将二极管检测灯 V.A.G1527 连接到插接器外部触点上，如图 4.15 所示。

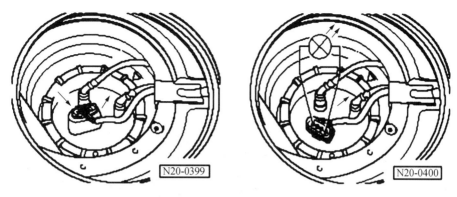

图 4.15　检查燃油箱盖法兰上插接器

（7）按下遥控器按钮，发光二极管必须发亮。

（8）如果发光二极管不亮，应根据电路图查找断路并排除。

（9）发光二极管发亮（电源正常），用专用扳手 3217 拧下紧固螺母，如图 4.16 所示。

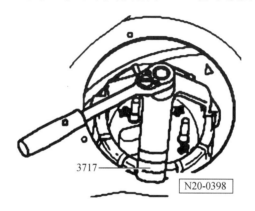

图 4.16　专用工具拆卸燃油箱盖法兰

（10）检查法兰与燃油泵之间的导线是否连接好。

（11）如果没有发现断路情况：燃油泵有故障，更换燃油泵总成。

按如下方法检查燃油泵供油量：

> 小贴士：
>
> 　　燃油系统是有压力的！在系统打开之前要先在开口处放置抹布，然后小心地松开接头以卸压。

拆下如图 4.17 所示箭头处所指的螺纹连接件，并用一块抹布收集流出的燃油。用转接器 V.A.G 1318/12 将压力表 V.A.G l318 接到进油管上，将软管 V.A.G1318/1 插入压力表的转接器 V.A.Gl318/11，并把管子插入量杯中。打开压力表的截止阀。手柄转向流通方向 A。按下遥空器 V.A.G l348/3A 的按钮。缓慢关上截止阀直到压力表上显示 3bar 缸的压力。然后保持这一位置，排空量杯。

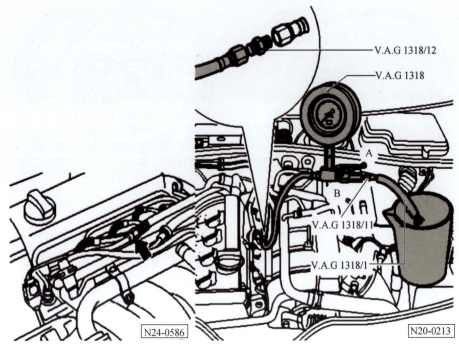

图 4.17　燃油量检测

　　燃油泵的供油量与蓄电池电压有关，标准电压下最小供油量 $750 \text{ cm}^3/ 30 \text{ s}$。将检查结果填入表 4.4 中。

表 4.4　燃油泵及电路检查登记表

检查项目	检查结果		燃油泵及电路状态
	标准值	测量值	
燃油泵电阻检查	Ω		
燃油泵电源检查			
燃油泵线路检查			
燃油泵动作测试			
燃油泵泵油量测试	$750 \text{ cm}^3/30 \text{ s}$		

三、评价与反馈

1. 任务实施考核成绩评定（表 4.5）

表 4.5　燃油供给系统电路检修考核表

考核项目及分值	考核内容	评分标准	评分记录
准备 10 分	1. 清点工具、清理工位 2. 检查电源断开情况	1. 未清洁工量具、工作台扣 3 分 2. 未清洁检查设备扣 5 分	

考核项目及分值	考核内容	评分标准	评分记录
喷油器的拆卸 20分	1. 正确使用工具 2. 方法及程序正确 3. 正确使用专用工具	1. 不正确使用工具扣5分 2. 方法及程序不正确扣5分 3. 不正确使用专用工具扣5分	
燃油供给系统电路检测 40分	1. 使用诊断仪检测方法、步骤正确 2. 元件及线路检测正确 3. 正确使用专用工具	1. 不能正确操作扣5-10分 2. 不能正确检查10-20分 3. 不能正确使用专用工具扣10分	
喷油器装复与试验 20分	1. 使用正确的工具装复 2. 装复后检查试验	1. 不正确装复扣5分 2. 未做检查试验或检查试验不正确扣5分	
收尾工作 10分	1. 清洁工具、量具、工作台 2. 工、量具应摆放整齐	1. 未清洁扣1~3分 2. 未摆放整齐扣1分	
考核时限	完成全部考核内容规定用时为15分钟	1. 超时每分钟扣5分 2. 超时5分钟即停止记分	

2. 任务过程评价与反馈（表 4.6 和表 4.7）

表 4.6　任务过程评价表（教师填写）

考核项目	评分标准	分数	成绩	过程评价
劳动纪律	有无迟到、早退和旷工	5		
团队合作	是否和谐	5		
活动参与	是否精彩	5		
安全生产	有无安全隐患	10		
操作过程	是否正确、熟练	30		
任务质量	是否圆满完成	10		
工具、设备使用	是否规范、标准	10		
工作页填写	是否完整、规范	15		
现场 5S	是否做到	10		
总　分		100		

注：没有按照操作流程操作，出现人身伤害或设备严重事故，本任务考核结果为0分。

表 4.7　任务过程反馈表（学生填写）

反馈内容	回答
你是否完成本学习任务，并得到老师的确认？	
你是否能准确有效地收集、分析和组织完成资料，正确地交流信息？	
你是否已经掌握预期的知识和必备的技能？	
你是否充分使用学习资源和按计划有组织地完成目标？	
操作完成水平： 　上述表格中的项目应为肯定回答。若不是，应咨询老师。你可以要求附加相关活动，以便完成相关的操作技能。 　教师签字：_____ 　学生签字：_____ 　完成日期：_____	

四、学习拓展

引导问题 7：直接喷射系统是如何工作的？

1. 缸内直喷技术

缸内直喷技术是指喷油嘴将高压燃油直接喷入_____平顺高效地燃烧，缸内直喷所宣扬的是通过_____燃烧和_____燃烧实现了高负荷，尤其是低负荷下的燃油消耗降低，动力还有很大提升的一种技术。燃油喷射角度_____，燃油雾气不与活塞顶部接触。

工作原理图如图 4.18 所示。写出图中各代号对应的名称。

2. 燃油供给系统

低压供油系统为调节燃油泵的输送率，燃油泵控制单元通过一个 PWM（脉冲宽度调制）信号调节供给电压。在此方式下，泵电压设定在 6 V 和蓄电池电压之间。发动机控制单元供给正确的泵电压信号。为此，来自发动机控制单元的 PWM 信号传递到燃油泵控制单元，存储在发动机控制单元的特征脉谱图确定泵的输送率。泵的输送率也会改变，此为泵电压的功能之一。低压燃油系统维持 4bar 的恒压，工作原理图如图 4.19 所示。

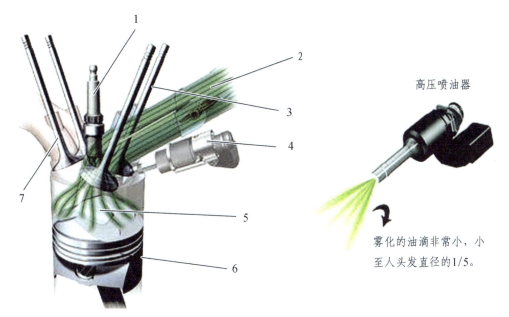

图 4.18　缸内直喷原理示意图

1. _____；2. 空气；3. _____；4. _____；5. _____；6. 活塞；

7. _____。

燃油泵供给的门
触点开关F2

车载电源控制单元
J519

蓄电池

发动机控制单元J632

燃油泵控制单元J538

带限压阀的燃油滤清器

燃油分配器

高压燃油泵

4点式油泵凸轮

燃油泵　　燃油箱

喷嘴 N30-N33

图 4.19　燃油供给系统

高压燃油系统根据发动机负载，压力可在 35～100 bar 任意调节。结构布置图如图 4.20 所示。写出图中各代号对应的名称。

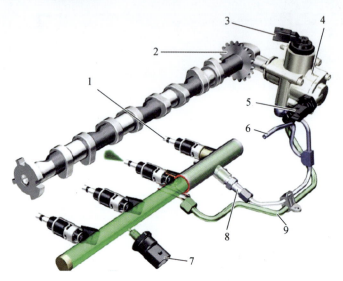

图 4.20　高压燃油系统

1. _____；2. 泵凸轮；3. _____；4. _____；5. 燃油低压传感器 G410；6. _____；7. _____；8. _____；9. 高压燃油管。

3. 高压油泵

最新的第三代高压燃油泵使用在 1.4L TFSI 发动机上。有更小的输油行（3 mm），集成在泵上的限压阀，无需来自燃油分配器的回油管。结构图如图 4.21 所示。写出图中各代号对应的名称。

1. 泵安装螺栓；2. _____；3. 软管夹；4. _____；5. _____；6. 压力管路，高压连接插头；7. 法兰安装基座；8. 圆柱挺杆；9. 减震环；10. 弹簧；11. _____。

4. 高压喷嘴

发动机控制单元控制电磁喷嘴在_____V 时打开。允许最高_____安培的电流，允许最低 2.6 安培的电流。喷嘴安装在进气歧管的基座上，燃油分配器也集成在上面。喷射示意图如图 4.22 所示。

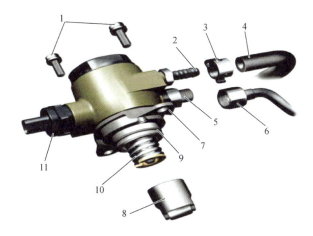

图 4.21 高压燃油泵

图 4.22 喷油器喷射示意图

5. 废气涡轮增压器

图 4.23 所示为废气涡轮增压结构图，写出图中各代号对应的名称。

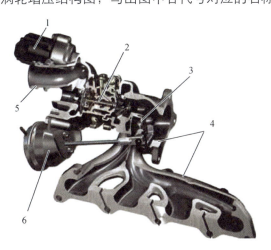

图 4.23 废气涡轮增压系统

1. _____；2. _____；3. _____；4. 涡轮叶轮罩壳/排气歧管；
5. 压缩机壳体；6. _____；7. _____。

6. 废气涡轮增压器冷却和润滑系统

图 4.24 所示为废气涡轮增压冷却和润滑系统结构图，写出图中各代号对应的名称。

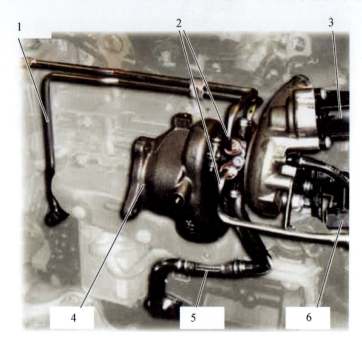

图 4.24　废气涡轮增压冷却和润滑系统

1. _____；2. _____；3. _____；4. _____；5. 机油回流管；6. 增
压压力限制电磁阀 N75。

7. 增压空气冷却器（中冷器）

增压空气冷却器的结构和功能类似于常规的水冷式冷却器。冷却液流过集成在铝制薄
片总成上的管路，热空气流过这些铝片，并把热量传递到铝片上。接着，这些铝片将吸收
到的热量传递给冷却液，然后经加热的冷却液流入增压空气系统的辅助冷却器，在那里得
到冷却。

附加的冷却液循环泵 V50 用作低温系统的输送泵。通过辅助的冷却液泵继电器，由发动
机控制单元按需控制。来自进气温度传感器 G42 和 G299 的信号用于计算脉冲周期。图 4.25
所示为增压空气冷却器图，写出图中各代号对应的名称。

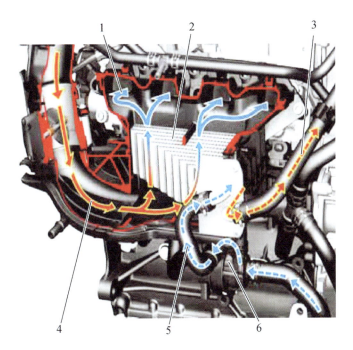

图 4.25　增压空气冷却器

1.　_____；2.　_____；3. 冷却液回流管；4. _____；

5. 冷却液供给管路；6. _____。

学习任务五　发动机电控点火系统的检修

情景描述

一辆帕萨特轿车在行驶过程中，由于发动机点火系统有故障，造成发动机启动后立即熄火，要求你查明故障原因并进行处理。

任务描述

认识转速传感器、凸轮轴位置传感器、爆震传感器和电控点火系统结构，识别电控点火系统电路，正确选择合适的检测工具和设备，对电控点火系统传感器、执行器及线路进线检测，排除点火系统故障。

学习目标

通过本学习任务的学习，应当能：

(1) 知道转速传感器和凸轮轴位置传感器的结构。

(2) 知道爆震传感器的结构。

(3) 知道电控点火控制系统的结构。

(4) 正确检测转速传感器和正确检测凸轮轴位置传感器。

(5) 正确检测爆震传感器和正确检测电控点火系统线路。

建议学时

➢ 12 课时。

学习内容

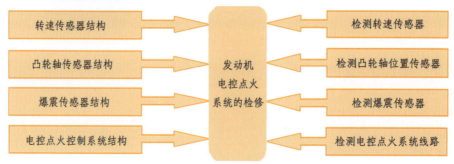

一、任务准备

引导问题 1：曲轴转速传感器结构是怎样的？如何工作？

（1）大众车一般采用_____曲轴转速传感器，安装在曲轴箱内靠近离合器一侧的缸体上，获得发动机_____信号和_____信号，作为发动机_____和_____的判缸信号之一。传感器本体和信号转子如图 5.1 和图 5.2 所示（图中信号转子直接加工在飞轮上）。

图 5.1　曲轴转速传感器

图 5.2　曲轴转速传感器信号转子

（2）信号发生器本体用螺钉固定在发动机缸体上，由_____、_____和_____组成。

（3）如图 5.3 所示为曲轴转速传感器结构图，请填写图中各个序号名称。

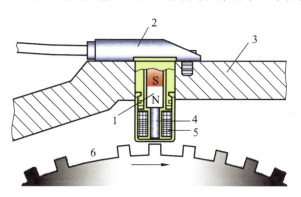

图 5.3　曲轴转速传感器结构

1. _____；2. _____；3. _____；4. _____；5. _____；6. _____。

（4）如图 5.3 所示，简述曲轴转速传感器结构和工作原理。

（5）曲轴转速传感器中断将会导致什么故障现象？

引导问题 2：凸轮轴位置传感器结构是怎样的？如何工作？

（1）大众车采用的_____凸轮轴位置传感器，如图 5.4 所示，安装在发动机配气凸轮轴的一端，主要由_____（见图 5.5）和_____（见图 5.6）组成。

图 5.4　凸轮轴位置传感器

图 5.5

图 5.6

（2）如图 5.7 所示，请填写图中各个序号名称。

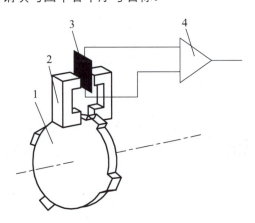

图 5.7　凸轮轴位置传感器工作原理

1. ＿＿＿＿＿＿；2. ＿＿＿＿＿＿；3. ＿＿＿＿＿＿；4. ＿＿＿＿＿＿。

（3）如图 5.7 所示，简述凸轮轴位置传感器工作原理。

引导问题 3：爆震传感器结构是怎样的？如何工作？

（1）爆震传感器安装于＿＿＿＿＿＿，感知发动机爆燃情况，将信号反馈给＿＿＿＿＿＿，当发动机产生爆震时，适当的＿＿＿＿＿＿，防止发动机＿＿＿＿＿＿，其外形如图 5.8 所示。

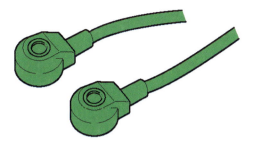

图 5.8 爆震传感器（G61/G66）

（2）如图 5.9 所示为爆震传感器结构及工作原理图，请填写图中各个序号名称。

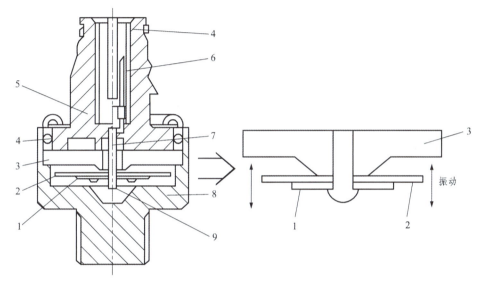

图 5.9 爆震传感器结构及原理

1. _____；2. _____；3. _____；4. _____；5. _____；6. _____；

7. _____；8. _____；9. _____。

（3）简述爆震传感器的工作原理。

引导问题 4：电控点火系统的功能和组成是什么？

（1）电控点火系统的功能有哪些？

（2）如图 5.10 所示为电控点火系统组成，请填写图中各个序号名称。

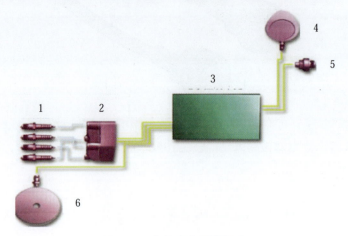

图 5.10 电控点火系统组成

1. _____ ；2. _____ ；3. _____ ；4. _____ ；5. _____ ；
6. _____ 。

引导问题 5：电控点火系统是如何工作的？

（1）如图 5.11 所示为点火提前角对发动机性能的影响。

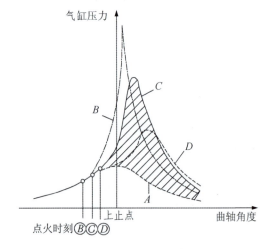

图 5.11 点火时刻燃烧曲线

（2）影响点火提前角的因素有哪些？

（3）简述控制点火提前角的基本方法。

（4）如图 5.12 所示为独立点火控制模式图，请填写图中各个序号名称。

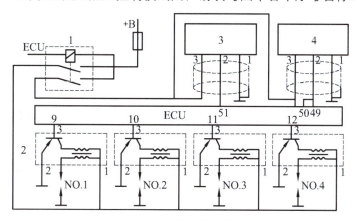

图 5.12　独立点火控制模式图

1. _____；2. _____；3. _____；4. _____。

二、任务实施

引导问题 6：完成本任务需要使用的主要工、量具有哪些？需要做哪些作业准备？

1. 工具、设备和材料的准备

在表 5.1 中填写本任务所需要使用的工、量具。

表 5.1　工、量具名称及型号

名　　称	型　　号

2. 查询并填写信息

车辆信息登记见表 5.2。

表 5.2　车辆信息登记

车辆信息	车辆识别代码	VIN
	发动机型号	

3. 作业前的准备

（1）汽车进入工位前，将工位清理干净，准备好相关的器材。

（2）套上转向盘护套、变速杆手柄套和座位套，铺设脚垫。

（3）将汽车停驻在举升机中央位置。

（4）拉紧驻车制动器操纵杆。

（5）将变速杆置于空挡或驻车挡（P 挡）位置。

（6）在车内拉动发动机舱盖手柄，在车外打开并支撑发动机舱盖。

（7）安装翼子板布和前格栅布。

引导问题 7：如何检查转速传感器？

曲轴转速传感器电路检测工艺流程如图 5.13 所示。

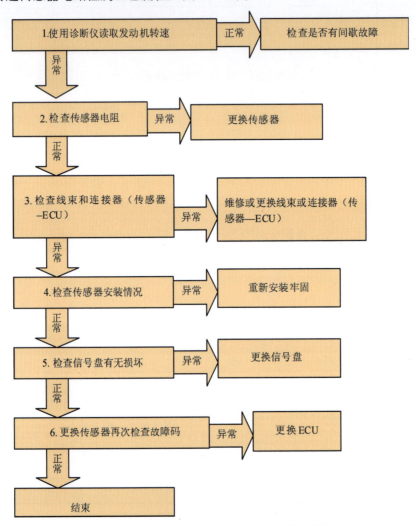

图 5.13　曲轴转速传感器电路检测工艺流程图

1. 故障现象确认

（1）插入点火开关钥匙，打开点火开关，观察故障指示灯是否常亮。

（2）启动发动机，观察发动机故障现象（表 5.3）。

表 5.3　故障现象确认

故障再现	故障指示灯	
	启动发动机，观察并描述故障现象	

2. 如果发动机不能启动，先检查转速传感器

（1）如图 5.14 所示，查看电路图，将点火开关置于 OFF 位。断开发动机转速传感器线束接头（见图 5.15），测量发动机转速传感器（元件侧）端子 T3b/1 和端子 T3b/2 之间的电阻，端子 T3b/1 和端子 T3b/3 之间的电阻，端子 T3b/2 和端子 T3b/3 之间的电阻，将检查结果填在表 5.4 中。

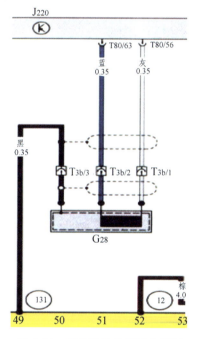

图 5.14　曲轴转速传感器电路图

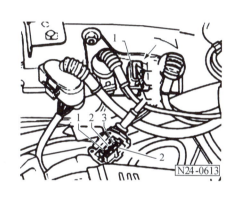

图 5.15　断开曲轴转速传感器接头

表 5.4　曲轴转速传感器元件电阻检测

检测位置	电阻值	标准值	是否正常	维修建议
T3b/1—T3b/2（元件侧）				
T3b/1—T3b/3（元件侧）				
T3b/2—T3b/3（元件侧）				

（2）断开蓄电池负极，断开发动机控制单元线束接头。测量发动机转速传感器线束接头端子 T3b/3 搭铁电阻，测量 T3b/1 与 T80/56 之间的电阻，测量 T3b/2 和 T80/63 之间的电阻。将检查结果填在表 5.5 中。

表 5.5　曲轴转速传感器线路导通检测

检测位置	电阻值	标准值	是否正常	维修建议
T3b/1　T80/56				
T3b/2—T80/63				
T3b/3—搭铁				

(3) 测量发动机转速传感器线束接头端子 T3b/1、T3b/2 和 T3b/3 之间的电阻,将检查结果填在表 5.6 中。

表 5.6　曲轴转速传感器短路检测（一）

检测位置	电阻值	标准值	是否正常	维修建议
T3b/1—T3b/2（接头侧）				
T3b/1—T3b/3（接头侧）				
T3b/2—T3b/3（接头侧）				

(4) 测量接地和发动机转速传感器线束接头端子 T3b/1、T3b/2 之间的电阻,测量蓄电池正极接线柱和发动机转速传感器线束接头端子 T3b/1、T3b/2、T3b/3 之间的电阻,将检查结果填在表 5.7 中。

表 5.7　曲轴转速传感器短路检测 （二）

检测位置	电阻值	标准值	是否正常	维修建议
T3b/1—搭铁				
T3b/2—搭铁				
T3b/1—正极				
T3b/2—正极				
T3b/3—正极				

(5) 确保发动机转速传感器安装正常,检查发动机转速传感器是否有金属微粒污染和损坏。检查曲轴上发动机转速传感器轮是否损坏,检查发动机转速传感器线束接头是否损坏。

(6) 连接控制单元线束接头,连接蓄电池负极。

(7) 连接专用示波器,检测曲轴转速传感器波形,在图 5.16 中画出所测波形和正确波形。

(8) 关闭点火开关,连接汽车故障电脑检测仪,进入诊断系统,读取故障码信息,清除故障代码。

		每格电压: 每格时间:
【维修前】 根据故障内容检测相关电路波形,并填写被测元件端口编号,画出或打印出波形	示波器正表笔连接元件端口编号: 及针脚号: 示波器负表笔连接部位: 	
【维修后】 根据故障内容检测相关电路波形,并填写被测元件端口编号,画出或打印出波形	示波器正表笔连接元件端口编号: 及针脚号: 示波器负表笔连接部位: 	

图 5.16 画出曲轴转速传感器波形图

引导问题 8：如何检查凸轮轴位置传感器？

（1）如图 5.17 所示，查看电路图，将点火开关置于 OFF 位。断开凸轮轴位置传感器线束接头（见图 5.18），打开点火开关，测量凸轮轴位置传感器（接头侧）端子 1 和端子 3 之间的电压，将检查结果填在表 5.8 中。

表 5.8 凸轮轴位置传感器电源电压检测

检测位置	电压值	标准值	是否正常	维修建议
端子 1—端子 3				

（2）关闭点火开关，断开蓄电池负极，断开发动机控制单元线束接头。测量发动机转速传感器线束接头端子 1 与 T80/62 之间电阻，测量 2 与 T80/76 之间的电阻，测量 3 和 T80/67 之间的电阻，将检查结果填在表 5.9 中。

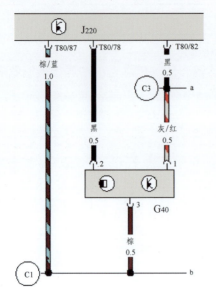
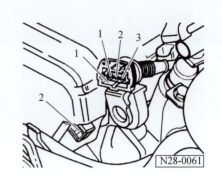

图 5.17　凸轮轴位置传感器电路图　　　　图 5.18　断开凸轮轴位置传感器接头

表 5.9　凸轮轴位置传感器线路导通性检测

检测位置	电阻值	标准值	是否正常	维修建议
端子 1—T80/62				
端子 2—T80/76				
端子 3—T80/67				

（3）测量凸轮轴位置传感器线束接头端子 1、端子 2 和端子 3 之间的电阻，将检查结果填在表 5.10 中。

表 5.10　凸轮轴位置传感器短路检测

检测位置	电阻值	标准值	是否正常	维修建议
端子 1—端子 2（接头侧）				
端子 1—端子 3（接头侧）				
端子 2—端子 3（接头侧）				

（4）测量端子 1 与端子 3 之间的电压、端子 2 与端子 3 之间的电压，将检查结果填在表 5.11 中。

表 5.11　凸轮轴传感器信号电压检测

检测位置	电压值	标准值	是否正常	维修建议
端子 1—端子 3				
端子 2—端子 3				

（5）确保凸轮轴位置传感器安装正常。

（6）连接控制单元线束接头，连接蓄电池负极。

（7）连接专用示波器，检测凸轮轴位置传感器波形，在图 5.19 中画出所测波形和正确波形。

		每格电压： 每格时间：
【维修前】 根据故障内容检测相关电路波形，并填写被测元件端口编号，画出或打印出波形	示波器正表笔连接元件端口编号： 及针脚号： _____ 示波器负表笔连接部位： _____	
【维修后】 根据故障内容检测相关电路波形，并填写被测元件端口编号，画出或打印出波形	示波器正表笔连接元件端口编号： 及针脚号： _____ 示波器负表笔连接部位： _____	每格电压： 每格时间：

图 5.19　画出凸轮轴位置传感器波形图

（8）关闭点火开关，连接汽车故障电脑检测仪，进入诊断系统，读取故障码信息，清除故障代码。

引导问题 9：如何正确检查爆震传感器？

（1）如图 5.20 所示，查看电路图，将点火开关置于 OFF 位。断开爆震传感器线束接头（见图 5.21），分别测量爆震传感器 G61 和 G66（元件侧）端子 1 和端子 2 之间的电阻，端子 1 和端子 3 之间的电阻，端子 2 和端子 3 之间的电阻，将检查结果填在表 5.12 中。

表 5.12　爆震传感器元件电阻检测

元件	检测位置	电阻值	标准值	是否正常	维修建议
G61	端子 1—端子 2				
	端子 1—端子 3				
	端子 2—端子 3				
G66	端子 1—端子 2				
	端子 1—端子 3				
	端子 2—端子 3				

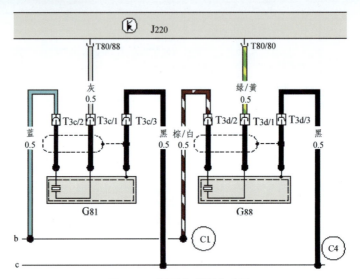

图 5.20　爆震传感器电路图

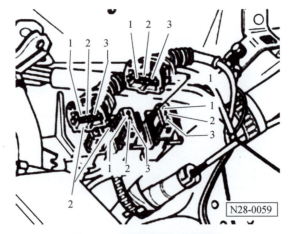

图 5.21　断开爆震传感器接头

　　(2) 断开蓄电池负极，断开发动机控制单元线束接头。测量爆震传感器 G61 和 G66 线束接头端子 3 搭铁电阻，测量 G61 的端子 1 与 T80/68 之间的电阻，测量 G66 的端子 1 与 T80/60 之间的电阻，测量 G61 和 G66 的端子 2 与 T80/67 之间的电阻，将检查结果填在表 5.13 中。

表 5.13　爆震传感器线路导通检测

元件	检测位置	电阻值	标准值	是否正常	维修建议
G61	端子 1—T80/68				
	端子 2—T80/67				
	端子 3—搭铁				
G66	端子 1—T80/68				
	端子 2—T80/67				
	端子 3—搭铁				

（3）测量爆震传感器 G61 和 G66 线束接头端子 1 与端子 2 之间的电阻，将检查结果填在表 5.14 中。

表 5.14　爆震传感器短路检测

元件	检测位置	电阻值	标准值	是否正常	维修建议
G61	端子 1 与端子 2				
G66	端子 1 与端子 2				

（4）确保发爆震传感器安装正常。连接控制单元线束接头，连接蓄电池负极。

（5）连接专用示波器，检测爆震传感器波形，在图 5.22 中画出所测波形和正确波形。

【维修前】 根据故障内容检测相关电路波形，并填写被测元件端口编号，画出或打印出波形	示波器正表笔连接元件端口编号： 及针脚号： _____ 示波器负表笔连接部位： _____	每格电压：　　每格时间：
【维修后】 根据故障内容检测相关电路波形，并填写被测元件端口编号，画出或打印出波形	示波器正表笔连接元件端口编号： 及针脚号： _____ 示波器负表笔连接部位： _____	每格电压：　　每格时间：

图 5.22　画出爆震传感器波形图

引导问题 10：如何检查点火线圈总成？

点火线圈总成电路检查流程如图 5.23 所示。

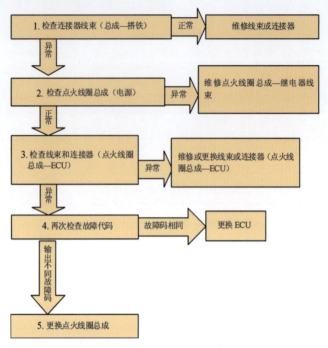

图 5.23　点火线圈总成电路检查流程

4 个点火线圈总成的检测方法相同，下面主要以第 1 缸点火线圈总成 N1 为例，其他点火线圈按下列步骤进行检测。

（1）如图 5.24 所示，查看电路图，将点火开关置于 OFF 位。断开点火线圈总成线束接头（见图 5.25），打开点火开关，测量点火线圈总成 N1（接头侧）端子 1 和端子 2 之间的电压，将检查结果填在表 5.15 中。

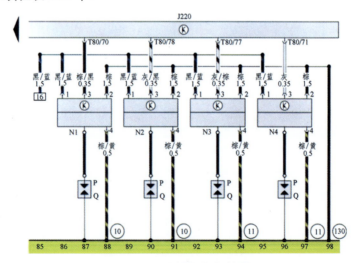

图 5.24　点火线圈总成电路图

图 5.25　断开点火线圈总成接头

（2）如果端子 1 和端子 2 之间电阻为不正常，关闭点火开关，检查端子 1 与保险丝 S232 出线之间导通是否正常，将检查结果填在表 5.15 中。

表 5.15　点火线圈总成电源电压检测

检测位置	测量值	标准值	是否正常	维修建议
端子 1—端子 2				
端子 1—S232 出线				

（3）关闭点火开关，断开蓄电池负极，断开发动机控制单元线束接头。测量点火线圈总成线束接头端子 3 与 T80/70 之间电阻，测量端子 2 搭铁电阻，测量端子 4 搭铁电阻，将检查结果填在表 5.16 中。

表 5.16　点火线圈总成线路导通性检测

检测位置	电阻值	标准值	是否正常	维修建议
端子 3—T80/70				
端子 2—搭铁				
端子 4—搭铁				

（4）测点火线圈总成线束接头端子 3 与端子 1、端子 3 和端子 2 之间的电阻，将检查结果填在表 5.17 中。

表 5.17　点火线圈总成短路检测

检测位置	电阻值	标准值	是否正常	维修建议
端子 3—端子 1（接头侧）				
端子 3—端子 2（接头侧）				

（5）确保点火线圈总成安装正常。

（6）连接控制单元线束接头，连接蓄电池负极。

（7）连接专用示波器，检测点火信号波形波形，在图 5.26 中画出所测波形和正确波形。

（8）关闭点火开关，连接故障诊断仪，进入诊断系统，读取故障码信息，清除故障代码。

| 【维修前】
根据故障内容检测相关电路波形，并填写被测元件端口编号，画出或打印出波形 | 示波器正表笔连接元件端口编号：

及针脚号：

示波器负表笔连接部位： | 每格电压：　　　　　　　每格时间： |
| 【维修后】
根据故障内容检测相关电路波形，并填写被测元件端口编号，画出或打印出波形 | 示波器正表笔连接元件端口编号：

及针脚号：

示波器负表笔连接部位： | 每格电压：　　　　　　　每格时间： |

图 5.26　画出点火信号波形图

三、评价与反馈

1. 任务实施考核成绩评定（表 5.18）

表 5.18　发动机电控点火系统的检修考核表

考核项目及分值	考核内容	评分标准	评分记录
准备工作 10 分	清洁工量具及其工作台	1. 未清洁工量具扣 1 分 2. 未清洁工作台扣 1 分	
曲轴转速传感器检测 20 分	读取故障码 读数据流 元件检查 线路检查 波形检查	1. 操作系统错误一次扣 2 分 2. 万用表使用错误　扣 2 分 3. 检查位置错误扣 3 分 4. 检查结果错误扣 2 分 5. 波形检测方法错误扣 3 分 6. 波形调整错误扣 3 分	

考核项目及分值	考核内容	评分标准	评分记录
凸轮轴位置传感器检测 20分	读取故障码 读数据流 元件检查 线路检查 波形检查	1. 操作系统错误一次扣2分 2. 万用表使用错误扣2分 3. 检查位置错误扣3分 4. 检查结果错误扣2分 5. 波形检测方法错误扣3分 6. 波形调整错误扣3分	
爆震传感器 20分	读取故障码 读数据流 元件检查 线路检查 波形检查	1. 操作系统错误一次扣2分 2. 万用表使用错误扣2分 3. 检查位置错误扣3分 4. 检查结果错误扣2分 5. 波形检测方法错误扣3分 6. 波形调整错误扣3分	
点火线圈总成检测 20分	读取故障码 读数据流 元件检查 线路检查 波形检查	1. 操作系统错误一次扣2分 2. 万用表使用错误扣2分 3. 检查位置错误扣3分 4. 检查结果错误扣2分 5. 波形检测方法错误扣3分 6. 波形调整错误扣3分	
收尾工作 10分	清洁工具、量具、工作台 工、量具应摆放整齐	1. 未清洁扣1~3分 2. 未摆放整齐扣1分	
考核时限	完成全部考核内容规定用时为20分钟	1. 超时每分钟扣5分 2. 超时5分钟即停止记分	

2. 任务过程评价与反馈（表 5.19 和表 5.20）

表 5.19　任务过程评价表（教师填写）

考核项目	评分标准	分数	成绩	过程评价
劳动纪律	有无迟到、早退和旷工	5		
团队合作	是否和谐	5		
活动参与	是否精彩	5		
安全生产	有无安全隐患	10		
操作过程	是否正确、熟练	30		
任务质量	是否圆满完成	10		
工具、设备使用	是否规范、标准	10		
工作页填写	是否完整、规范	15		
现场 5S	是否做到	10		
总　分		100		

注：没有按照操作流程操作，出现人身伤害或设备严重事故，本任务考核结果为 0 分。

表 5.20　任务过程反馈表（学生填写）

反馈内容	回答
你是否完成本学习任务，并得到老师的确认？	
你是否能准确有效地收集、分析和组织完成资料，正确地交流信息？	
你是否已经掌握预期的知识和必备的技能？	
你是否充分使用学习资源和按计划有组织地完成目标？	
操作完成水平： 　上述表格中的项目应为肯定回答。若不是，应咨询老师。你可以要求附加相关活动，以便完成相关的操作技能。 　教师签字：＿＿＿＿＿＿＿＿＿＿＿＿＿＿＿＿＿＿＿ 　学生签字：＿＿＿＿＿＿＿＿＿＿＿＿＿＿＿＿＿＿＿ 　完成日期：＿＿＿＿＿＿＿＿＿＿＿＿＿＿＿＿＿＿＿	

学习任务六 发动机排放控制系统的检修

情景描述

一辆帕萨特轿车由于排放控制系统有故障，造成发动机出现怠速不良、油耗过高、尾气排放超过排放标准，要求你查明故障原因并进行处理。

任务描述

认识发动机排放控制系统各传感器和执行器的控制过程，清楚不同控制系统控制的作用，选择合适的检测工具和设备，对发动机排放控制系统的各元件和电路进行检测，排除发动机排放控制系统故障。

学习目标

通过本学习任务的学习，应当能：
(1) 清楚汽油蒸发控制系统工作原理。
(2) 明白废气再循环控制系统和二次空气供给控制工作原理。
(3) 知道氧传感器工作原理。
(4) 正确检查汽油蒸发控制系统。
(5) 正确检查废气再循环控制系统。
(6) 正确检查氧传感器。

建议学时

➢ 10 课时。

学习内容

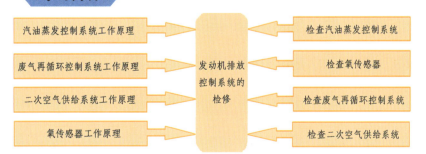

一、任务准备

引导问题 1：汽油蒸发控制系统工作原理是怎样的？

（1）如图 6.1 所示为汽油蒸汽控制系统的组成，请填写图中各个序号名称。

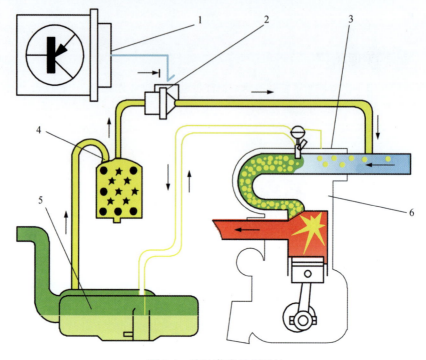

图 6.1　汽油蒸发控制系统

1. _____；2. _____；3. _____；4. _____；5. _____；6. _____。

（2）如图 6.1 所示，简述汽油蒸发控制系统的工作原理。

引导问题 2：废气再循环控制系统工作原理是怎样的？

（1）如图 6.2 所示为废气再循环控制系统的组成，请填写图中各个序号名称。

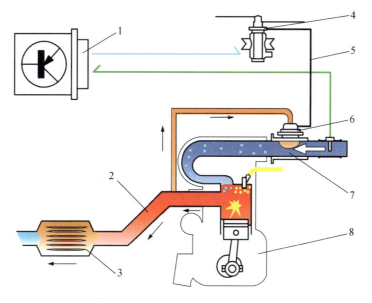

图 6.2　废气再循环控制系统

1. _____; 2. _____; 3. _____; 4. _____; 5. _____; 6. _____;
7. _____; 8. _____。

（2）如图 6.2 所示，简述废气再循环控制系统的工作原理。

（3）废气再循环量的多少可用_____表示，它是指再循环的废气量在进入气缸内的气体中所占的比率，计算公式是：_____。EGR 电磁阀采用_____控制型，ECU 通过控制电磁阀的开度，调节作用在 EGR 阀上的_____，以控制 EGR 阀的开度，实现对_____的控制。

引导问题 3：二次空气供给系统工作原理是怎样的？

（1）简述二次空气供给系统的作用。

（2）如图 6.3 所示为二次空气供给系统的结构，请填写图中各个序号名称。

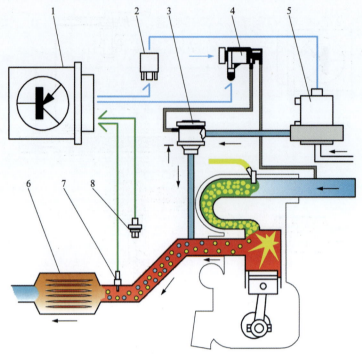

图 6.3　二次空气供给系统

1. ＿＿＿＿＿＿；2. 继电器；3. ＿＿＿＿＿＿；4. ＿＿＿＿＿＿；5. ＿＿＿＿＿＿；
6. ＿＿＿＿＿；7. ＿＿＿＿＿；8. 排气温度传感器。

（3）如图 6.3 和图 6.4 所示，简述二次空气供给系统的工作原理。

阀已打开

阀已关闭

来自二次空气泵的新鲜空气

二次空气控制阀控制管路内的真空

二次空气控制阀控制管路内的大气压力

废气

图 6.4　二次空气供给机械阀

引导问题 4：氧传感器的工作原理是怎样的？

（1）氧传感器有＿＿＿＿＿＿＿＿＿＿和＿＿＿＿＿＿＿＿＿＿两种。

（2）氧传感器监测尾气中＿＿＿＿＿的浓度，并将信息反馈给＿＿＿＿＿＿，调整＿＿＿＿＿＿，从而实现发动机的＿＿＿＿＿＿，改善发动机的燃烧，减少＿＿＿＿＿＿的排放，有的汽车的自诊断系统为了监测三元催化反应器的转化效率，设有两个氧传感器。除在三元催化器的前端安装一只氧传感器外，在三元催化器的后端，再安装一只氧传感器。一般称前者为_____，称后者为_____。

（3）如图 6.5 所示为氧化锆式氧传感器的结构，请填写图中各个序号名称。

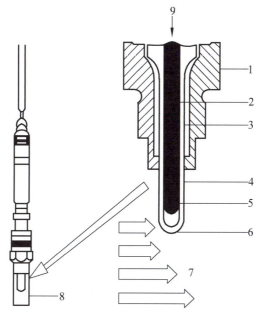

图 6.5　氧化锆式氧传感器

1. 法兰；2. _____；3. _____；4. _____；5. _____；6. 涂层；

7. _____；8. _____；9.　大气。

（4）简述氧化锆式氧传感器的工作原理。

（5）如图 6.6 所示为氧传感器控制系统的组成，请填写图中各个序号名称。

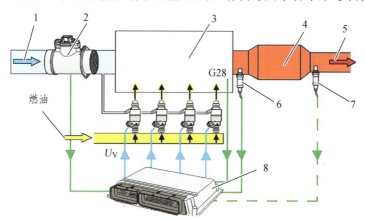

图 6.6　氧传感器控制系统

1. 进气；2. _____；3. _____；4. _____；5. 排气；6. _____；

7. _____；8. _____。

（6）简述氧传感器工作的条件。

二、任务实施

引导问题 5：完成本任务需要使用的主要工、量具有哪些？需要做哪些作业准备？

1. 工具、设备和材料的准备

在表 6.1 中填写本任务所需要使用的工、量具。

表 6.1　工、量具名称及型号

名　　称	型　　号

2. 查询并填写信息

车辆信息登记见表 6.2。

表 6.2　车辆信息登记

车辆信息	车辆识别代码	VIN
	发动机型号	

3. 作业前的准备

（1）汽车进入工位前，将工位清理干净，准备好相关的器材。

（2）套上转向盘护套、变速杆手柄套和座位套，铺设脚垫。

（3）将汽车停驻在举升机中央位置。

（4）拉紧驻车制动器操纵杆。

（5）将变速杆置于空挡或驻车挡（P 挡）位置。

（6）在车内拉动发动机舱盖手柄，在车外打开并支撑发动机舱盖。

（7）安装翼子板布和前格栅布。

引导问题 6：如何正确检查汽油蒸发控制系统？

1. 活性炭罐电磁阀密封性的检查

（1）经验检测法。

① 启动发动机，达到正常工作温度，并使之怠速运转。

② 拔下蒸汽活性炭罐上的真空软管，检查软管内有无真空吸力。

③ 踩下加速踏板，使发动机转速大于 2 000 r/min，检查软管内有无真空吸力。

将检查结果填在表 6.3 中。

表 6.3　经验法检查活性炭罐电磁阀密封性

检测条件	有无真空吸力	是否正常	维修建议
怠　速			
2 000 r/min			

（2）利用检测设备检查。

① 拔下活性炭罐电磁阀上的软管，将一辅助软管连接到活性炭罐电磁阀的接口上。

② 连接电脑检测仪，打开点火开关，选择"01 发动机电控单元"。

③ 进行执行元件诊断并触发活性炭罐电磁阀，听活性炭罐电磁阀是否发出"咔嗒"声。

④ 用向辅助软管内吹气的方法检查电磁阀是否打开和关闭。将检查结果填在表 6.4 中。

表 6.4　设备检测法检查活性炭罐电磁阀密封性

检测位置	检测结果	是否正常	维修建议
触发活性炭罐电磁阀			
向辅助软管内吹气			

2. 活性炭罐电磁阀的检查

（1）活性炭罐电磁阀的电阻检查。如图 6.7 所示，用 VAG1526 测量活性炭罐电磁阀 N80 端子 1 和端子 2 之间的电阻。

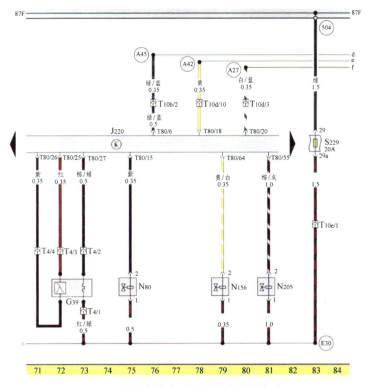

图 6.7　活性炭罐电磁阀和氧传感器电路图

（2）活性炭罐电磁阀的供电检查。

① 检查活性炭罐电磁阀的熔断丝 S229。

② 拔下活性炭罐电磁阀的插头，将二极管电笔连到活性炭罐电磁阀插头端子 1 和发动机搭铁之间，启动发动机，看二极管电笔是否闪亮。

③ 如果二极管电笔不闪亮，则检查从活性炭罐电磁阀插头端子 1 通过保险丝到燃油泵继电器之间的导线是否断路，如需要，排除故障。如导线完好，应检测燃油泵继电器。

将检查结果填在表 6.5 中。

表 6.5 活性炭罐电磁阀供电检查

检测位置	检查结果	是否正常
端子 1 和端子 2 之间的电阻		
熔断丝 S229		
端子 1 和搭铁是否搭铁		
端子 1 和燃油泵继电器通断		

（3）检测活性炭罐电磁阀的工作状况。

① 把二极管检测灯 V. A. G1527 串连在接头端子 2 和 1（正极）之间，进行执行元件诊断并选活性炭滤清器罐电磁阀 N80，看二极管检测灯是否闪亮。

② 把检测盒 V. A. G1598/22 与发动机控制单元的线束相接。二极管检测灯常亮时，检测电磁阀导线插头的端子 2 是否对地短路。二极管检测灯不闪亮时，检测电磁阀导线插头的端子 2 到 J220 的 T80/15 端子的导线是否断路或对正极短路。如果没发现导线的短路或断路，更换发动机的控制单元。

将检查结果填在表 6.6 中。

表 6.6 活性炭罐电磁阀的工作状况检查

检测位置	检查结果	是否正常
二极管检测灯是否闪亮		
端子 2 是否对地短路		
端子 2 是否对正极短路		
端子 2 到 T80/15 是否断路		

3. 检测活性炭罐电磁阀波形

连接专用示波器，检测活性炭罐电磁阀波形，在图 6.8 中画出所测波形和正确波形。

		每格电压: 每格时间:
【维修前】 根据故障内容检测相关电路波形，并填写被测元件端口编号，画出或打印出波形	示波器正表笔连接元件端口编号： _____ 及针脚号： _____ 示波器负表笔连接部位： _____	
【维修后】 根据故障内容检测相关电路波形，并填写被测元件端口编号，画出或打印出波形	示波器正表笔连接元件端口编号： _____ 及针脚号： _____ 示波器负表笔连接部位： _____	

图 6.8　画出活性炭罐电磁阀波形图

引导问题 7：如何正确检查氧传感器？

氧传感器检测工艺流程如图 6.9 所示。

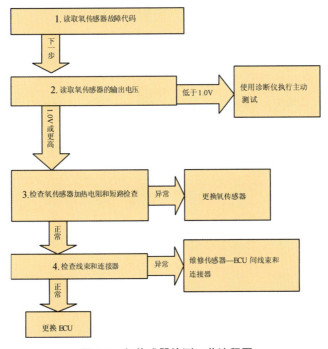

图 6.9　氧传感器检测工艺流程图

1. 检测 λ 控制

（1）连接诊断仪，读取故障代码。

（2）在冷起动条件下对车辆进行道路驾驶试验。

① 刚启动发动机时，选择"读取测量数据块"（功能 08）及显示组 21，将屏幕显示数据填入表 6.7 中。

② 当发动机温度升高后（即 λ 传感器达到约 300 ℃ 时）屏幕显示数据填入表 6.7 中。

表 6.7 λ 控制检测

检测条件	显示区 1	显示区 2	显示区 3	显示区 4
λ 传感器未达到 300 ℃ 前显示组 21				
λ 传感器达到约 300 ℃ 后显示组 21				

2. 检测数据操作

（1）选择"读取测量数据块"功能（功能 08）及显示组 03，显示数据流。

（2）当显示区 3 的显示值大于 80 ℃ 时，先按 C 键，再按 0 和 9 键，选择显示组 09 并按 Q 键确认。

（3）显示区 3 将显示 λ 传感器的电压信号，其规定读数应在 0～1 V 之间波动，每分钟变化 15 至 30 次。分析读显示区 3 的数据完成表 6.8。

表 6.8 λ 传感器电压信号分析

假设条件	故障范围
电压信号波动较慢	
电压信号在 0.45～0.5 V	
电压信号在 0～0.5 V	
电压信号在 0.5～1.0 V	

（4）先按 C 键，如 λ 控制正常起作用，应检查 λ 自适应值。再按 0 和 8 键选择显示组 08 并按 Q 键确认，将屏幕显示数据填入表 6.9 中。

> **小贴士：**
>
> 混合气自适应系统有自学习能力，换句话说，λ 控制可识别出发动机的下述差别：喷油器喷油量、发动机缸压力、燃油压力等，并通过调整预先设定的基础喷油时间曲线来进行补偿。喷油时间延长或缩短以达到理想混合气"λ=1"，实际的喷油时间同设定在控制单元内的喷油时间的差别以一个百分比的形式给出。

表 6.9 λ 自适应值检测

检测数据	检测值	标准范围	是否正常
自适应值			

3. 检查λ传感器加热器

（1）λ传感器加热器的电气检查

参看如图 6.8 所示电路图，拔下λ传感器的线束插头，用便携式万用表 V.A.G1526 测量端子 1 和端子 2 之间的电阻，如图 6.10 所示。将检测结果填入表 6.10 中

表 6.10　λ传感器加热器的电气检查

检测位置	电阻值	标准值	是否正常	维修建议
端子 1—端子 2（元件侧）				

图 6.10　λ传感器插头

（2）检测λ传感器加热器的供电电压。

① 检测λ传感器加热器的保险丝，如果保险丝 S229 正常，把二极管检测灯 V.A.G1527 串接在发动机搭铁与线束插头的 1 号端子之间。让起动机短时运转（允许发动机短时启动），观察二极管检测灯是否亮。

② 检测λ传感器线束插头的端子 1 到保险丝 S229 出线之间的导线是否断路或对地短路。

③ 把检测盒 V.A.G1598/22 同发动机控制单元的线束相接，检测线束连接导线端子 2 与检测盒 27 号端子（或 J220 的 T80/27 端子）之间是否有断路或短路故障。如果保险丝及导线都完好，但二极管检测灯还不亮，检测燃油泵继电器。

将检查结果填在表 6.11 中。

表 6.11　λ传感器供电线路检查

检测位置	检测条件	检查结果	是否正常
端子 1 和保险丝 S229 出线	通　断		
端子 1 和搭铁	短　路		
端子 2 和 T80/27	通　断		
端子 2 和搭铁	短　路		
端子 2 和正极	短　路		

4. 检测λ传感器的信号线路

（1）λ传感器信号由自诊断系统进行监控，查询故障代码。如λ传感器的某个故障已被

存储而λ传感器加热器正常。拔下λ传感器的线束插头，打开点火开关，用便携式万用表（电压测量挡）检查λ传感器端子3与搭铁之间、端子3与端子4之间的电压值，将检测结果填入表6.12中。

表6.12　λ传感器信号电压检查

检测位置	电压值	标准值	是否正常	维修建议
端子3—端子4				
端子3—搭铁				

（2）把检测仪器同发动机控制单元的线束相接，检测线束连接的导线插头端子3、4分别与J220端子25、26之间是否有断路、对正极或对地短路故障，必要时排除故障。如果线束没问题应更换发动机控制单元，将检查结果填在表6.13中。

表6.13　λ传感器线路导通性检测

检测位置	电阻值	标准值	是否正常	维修建议
端子3—T80/25				
端子4—T80/26				
端子3—搭铁				
端子3—正极				

5. 检测λ传感器波形

连接专用示波器，检测λ传感器波形，在图6.11中画出所测波形和正确波形。

【维修前】 　根据故障内容检测相关电路波形，并填写被测元件端口编号，画出或打印出波形	示波器正表笔连接元件端口编号： 及针脚号： ——————— 示波器负表笔连接部位： ———————	每格电压：　　　　每格时间：
【维修后】 　根据故障内容检测相关电路波形，并填写被测元件端口编号，画出或打印出波形	示波器正表笔连接元件端口编号： 及针脚号： ——————— 示波器负表笔连接部位： ———————	每格电压：　　　　每格时间：

图6.11　画出λ传感器波形图

6. 更换λ传感器

拆卸时先拔下λ传感器导线的插头，再用工具拧下λ传感器。当安装时，应注意λ传感器的紧固力矩为 50 N·m，λ传感器的螺纹上镀了一层特殊的热涂层，此涂层不允许涂到传感器的缝隙处。

三、评价与反馈

1. 任务实施考核成绩评定（表 6.14）

表 6.14　发动机排放控制系统考核表

考核项目及分值	考核内容	评分标准	评分记录
准备工作 10 分	清洁工量具及其工作台	1. 未清洁工量具扣 1 分 2. 未清洁工作台扣 1 分	
汽油蒸发控制系统检查 10 分	检查活性炭罐电磁阀的密封性 检查活性炭罐电磁阀电阻 检查活性炭罐电磁阀供给电压 检查活性炭罐电磁阀线路 检查活性炭罐电磁阀工作状况 检测活性炭罐电磁阀的波形	1. 操作系统错误一次扣 2 分 2. 万用表使用错误扣 2 分 3. 检查位置错误扣 3 分 4. 检查结果错误扣 2 分 5. 波形检测方法错误扣 3 分 6. 波形调整错误扣 3 分	
氧传感器检查 10 分	检测λ控制 检测数据操作 检查λ传感器加热器 检测λ传感器的信号线路 检测λ传感器波形 更换λ传感器	1. 操作系统错误一次扣 2 分 2. 万用表使用错误 扣 2 分 3. 检查位置错误扣 3 分 4. 检查结果错误扣 2 分 5. 波形检测方法错误 扣 3 分 6. 波形调整错误扣 3 分	
收尾工作 10 分	清洁工具、量具、工作台 工、量具应摆放整齐	1. 未清洁扣 1~3 分 2. 未摆放整齐扣 1 分	
考核时限	完成全部考核内容规定用时为 20 分钟	1. 超时每分钟扣 5 分 2. 超时 5 分钟即停止记分	

2. 任务过程评价与反馈（表 6.15 和表 6.16）

表 6.15　任务过程评价表（教师填写）

考核项目	评分标准	分数	成绩	过程评价
劳动纪律	有无迟到、早退和旷工	5		
团队合作	是否和谐	5		
活动参与	是否精彩	5		

考核项目	评分标准	分数	成绩	过程评价
安全生产	有无安全隐患	10		
操作过程	是否正确、熟练	30		
任务质量	是否圆满完成	10		
工具、设备使用	是否规范、标准	10		
工作页填写	是否完整、规范	15		
现场 5S	是否做到	10		
总　分		100		

注：没有按照操作流程操作，出现人身伤害或设备严重事故，本任务考核结果为 0 分。

表 6.16　任务过程反馈表（学生填写）

反馈内容	回答
你是否完成本学习任务，并得到老师的确认？	
你是否能准确有效地收集、分析和组织完成资料，正确地交流信息？	
你是否已经掌握预期的知识和必备的技能？	
你是否充分使用学习资源和按计划有组织地完成目标？	
操作完成水平： 　上述表格中的项目应为肯定回答。若不是，应咨询老师。你可以要求附加相关活动，以便完成相关的操作技能。 教师签字：_____ 学生签字：_____ 完成日期：_____	

四、学习拓展

引导问题 8：如何正确检查废气再循环控制系统？

1. EGR 阀的检修

（1）启动发动机，并以怠速运转，将手指伸入 EGR 阀，按在膜片上；在冷车状态下踩下加速踏板，使发动机转速上升至 2 000 r/min 左右，此时 EGR 阀是否开启；发动机热车后水温高于 50 ℃，踩下加速踏板，使发动机转速上升至 2 000 r/min 左右，此时 EGR 阀是否开启，手指可感觉到膜片的动作。

将检查结果填在表 6.17 中。

表 6.17　经验法检查 EGR 阀

检测条件	EGR 阀是否开启	是否正常	维修建议
冷车状态			
热车后水温高于 50 ℃			

（2）使发动机怠速运转，拔下 EGR 阀上的真空软管，用手动抽真空器对 EGR 阀膜片室施加约 19.95 kPa 的真空度。观察发动机性能变化。将分析情况填在表 6.18。

表 6.18　EGR 阀工作情况分析

假设条件	EGR 阀是否正常
若此时发动机怠速运转性能变坏甚至熄火	
若发动机性能无变化	

2. 废气再循环控制电磁阀的检测

控制电磁阀位于空气滤清器总成后部，拆下控制电磁阀线束接头，测量两引脚间电阻，将检查结果填在表 6.19 中。

表 6.19　EGR 阀电阻检测

检测位置	电压值	标准值	是否正常	维修建议
端子 1—端子 3				

引导问题 9：如何正确检查二次空气供给控制系统？

1. 二次空气供给阀的检查

（1）连接电脑检测仪，打开点火开关。

（2）进行执行元件诊断并触发二次空气供给阀，二次空气供给阀是否发出"咔嗒"声。

（3）拔下二次空气供给阀的插头，用接线（VAG1594）将二极管电笔（VAG1527）连接到拔下的插头上，再次进行执行元件诊断，观察二极管电笔是否闪亮。将检查结果填在表 6.20 中。

表 6.20　二次空气供给阀

检测项目	检查结果	是否正常	维修建议
二次空气阀是否开启			
二极管电笔是否闪亮			

（4）关闭点火开关，检查端子 1 与搭铁之间的电压。

（5）将检测盒 VAG1598/31 连接到发动机电控单元的线束上（不连接发动机电控单元），检查二次空气供给阀线束插头的 2 号端子与检测盒 VAG1598/31 的 44 号端子之间的连接导线是否断路。

（6）检查导线是否对正极和搭铁短路。

将检查结果填在表 6.21 中。

表 6.21 EGR 阀电阻检测

检测位置	检测值	标准值	是否正常	维修建议
端子 1 与搭铁电压				
端子 2 与端子 44 通断				
端子 2 与正极				
端子 2 与搭铁				

2. 二次空气泵继电器的检查

二次空气泵继电器装在压力舱内的继电器盒内，其检查步骤为：

(1) 连接电脑检测仪，打开点火开关，选择"01 发动机电控单元"。

(2) 进行执行元件诊断并触发二次空气泵继电器，二次空气泵电动机在二次空气泵继电器的控制下，应间歇运转，直到按下电脑检测仪上的"→"键中止执行元件诊断为止。将检查结果填在表 6.22 中。

表 6.22 二次空气泵继电器检查

检测项目	检查结果	是否正常	维修建议
二次空气泵电动机是否运转			

(3) 拔下二次空气泵电动机的 2 芯插头，用接线将二极管电笔接到拔下的插头上，再次进行执行元件诊断。如果二极管电笔闪亮，则更换二次空气泵电动机；如果二极管电笔不闪亮，二次空气泵继电器也没有"咔嗒"声。

(4) 检查二次空气泵熔丝。如果熔丝正常，则从继电器盘上拔下二次空气泵继电器，检查二次空气泵继电器的供电（30 号正极）。如果二次空气泵继电器供电正常，则更换二次空气泵继电器。

(5) 关闭点火开关，将检测盒 VAG1598/31 连接到发动机电控单元的线束上（不连接发动机电控单元）。从继电器盘上拔下二次空气泵继电器，检查二次空气泵继电器线束插头的 6/85 端子与检测盒 VAG1598/31 的 46 号端子之间的连接导线是否断路，

将检查结果填在表 6.23 中。

表 6.23 二次空气泵继电器线路检测

检测位置	检测值	标准值	是否正常	维修建议
二次空气泵熔丝				
二次空气泵继电器的进线电压				
6/85 端子与 46 号端子通断				

学习任务七　电子防盗系统的检修

情景描述

　　一辆帕萨特轿车由于防盗系统出现故障，导致发动机防盗 ECU 无法识别汽车钥匙，造成发动机不能启动，要求检修电子防盗系统故障，能对发动机电子防盗系统主要零件进行拆卸、检测及装复等工作。

任务描述

　　明白电子防盗系统的组成和各元件的作用，能识读电子防盗系统电路。选择合适的检测工具和设备，诊断检测电子防盗系统故障。在更换钥匙、防盗控制单元和发动机控制单元后，会正确使用诊断仪匹配各更换部件。

学习目标

通过本学习任务的学习，应当能：
（1）知道电子防盗系统的组成和各元件的作用。
（2）识读电子防盗系统电路图。
（3）诊断发动机电子防盗系统故障。
（4）用诊断仪匹配主要部件。

建议学时

➢ 6 课时。

学习内容

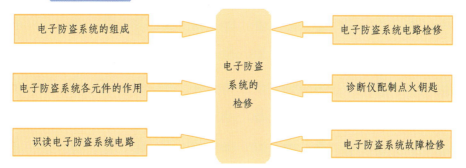

一、任务准备

引导问题 1：发动机电子防盗系统有哪些组成和作用？

1. 电子防盗系统的组成

帕萨特 B5 轿车电子控制的防盗装置如图 7.1 所示，主要组成有：一个组合仪表中的防盗控制单元，一只组合仪表中的防盗装置的警告灯（在车速表中），一个匹配的发动机控制单元，一个点火开关上的阅读线圈，一个匹配带有电子设备的点火钥匙（发送应答器/应答-读出存储器）。指出各代号代表的部件。

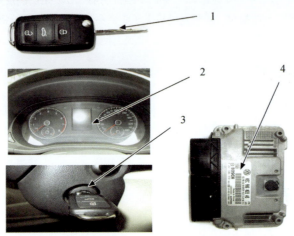

图 7.1　帕萨特 B5 轿车电子防盗系统主要组成

1. ＿＿＿＿＿＿；2. ＿＿＿＿＿＿；3. ＿＿＿＿＿＿；4. ＿＿＿＿＿＿。

2. 各主要部件在电子防盗系统中的作用

发动机控制单元的作用：＿＿＿＿＿＿＿＿＿＿＿＿＿＿＿＿＿＿＿＿＿＿。

防盗控制单元的作用：＿＿＿＿＿＿＿＿＿＿＿＿＿＿＿＿＿＿＿＿＿＿＿。

阅读线圈的作用：＿＿＿＿＿＿＿＿＿＿＿＿＿＿＿＿＿＿＿＿＿＿＿。

带有电子设备的点火钥匙的作用：组成一个简单的电路，与阅读线圈一起向控制单元提供准确信息。

防盗装置 K117 警告灯的作用：在防盗装置无故障的情况下防盗装置警告灯（K117）在接通点火后亮，并且在大约 3 s 之后熄灭。

在防盗系统出现故障时显示，警告灯在"接通"点火开关时持续地闪烁，其原因包括：

（1）不正确地进行点火钥匙的匹配。

（2）点火钥匙中无转发器（应答器-读出存储器）。

（3）使用一个未经认可的点火钥匙。

（4）阅读线圈（D2）的功能故障。

（5）在数据传输线中有功能故障。

帕萨特 B5 轿车的燃油供给系统控制电路图如图 7.2、图 7.3、图 7.4 所示，仔细读懂电路图，根据你的理解，回答后面的问题。

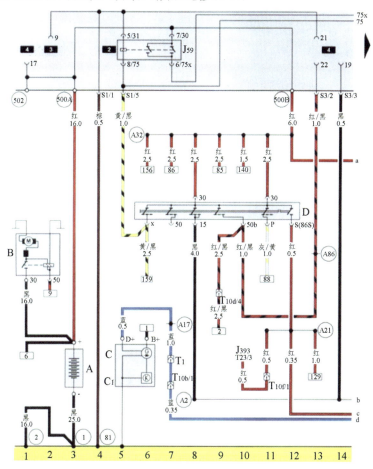

基本电路图（上海帕萨特GLi、GSi轿车）

蓄电池、点火开关、发电机、起动机、X触点继电器（1-14）

A ——蓄电池
B ——起动机
C ——发电机
C₁——调压器
D ——点火开关
J59 ——X触点继电器，在继电器板上2号位（370继电器）
J393——舒适电子的控制单元
T₁ ——单针插头，蓝色，在发动机缸线体的右侧
T10b—10针插头，黑色，在发动机室控制单元防护罩内的左侧（1号位）
T10d—10针插头，棕色，在发动机室控制单元防护罩内的左侧（2号位）
T10f—10针插头，蓝色，在左A柱处（6号位）
T23 ——23针插头，在舒适系统控制单元上
Ⓐ2 ——正极连接线（15），在仪表板线束内
Ⓐ17——连接线（61），在仪表板线束内

Ⓐ21——连接线（86s），在仪表板线束内
Ⓐ32——正极连接线（30），在仪表板线束内
Ⓐ86——连接线（50b），在仪表板线束内
① ——接地点，蓄电池与车身
② ——接地点，变速器与车身
81 ——接地连接线，在仪表板线束内
500A——螺栓连接点1（30c火线），在继电器板上
500B——螺栓连接点1（30c火线），在继电器板上
502——螺栓连接点3（30a），在继电器板上

图 7.2 电子防盗系统电源

电子防盗器、防盗器报警灯、自诊断接口、发电机充电指示灯（15-28）

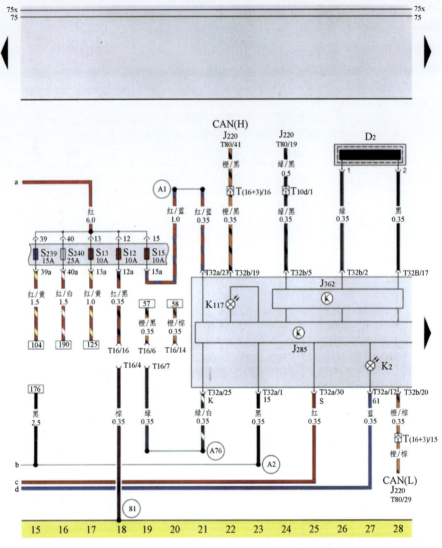

CAN(H)—CAN总线的高位
CAN(L)—CAN总线的低位
D₂　—防盗器识读线圈
J₂₂₀　—发动机控制单元
J₂₈₅　—组合仪表控制单元
J₃₆₂　—防盗器控制单元
K₂　—发电机充电指示灯
K₁₁₇　—防盗器报警灯
S₁₂　—保险丝12,10A，在保险丝架上
S₁₃　—保险丝13,10A，在保险丝架上
S₁₅　—保险丝15,10A，在保险丝架上
S₂₃₉　—保险丝39,15A，在保险丝架上
S₂₄₀　—保险丝40,25A，在保险丝架上
T₁₀d　—10针插头，棕色，在发动机室控制单元
　　　防护罩内的左侧（2号位）

T₁₆　—16针插头，在换挡操纵杆处，自诊断接口
T₍₁₆₊₃₎　—19针插头，橙/红色，在发动机室控制单元
　　　防护罩内的左侧（3号位）
T₃₂a　—32针插头，蓝色，在组合仪表上
T₃₂b　—32针插头，绿色，在组合仪表上
T₈₀　—80针插头，在发动机控制单元上
Ⓐ1　—正极连接线（30），在仪表板线束内
Ⓐ2　—正极连接线（15），在仪表板线束内
Ⓐ76　—连接线（自诊断K线），在仪表板线束内
Ⓑ1　—接地连接线1，在仪表板线束内
　　　（由 ㉚ 分出）

图7.3　电子防盗系统

· 100 ·

仪表板、数字钟、里程表、灯光打开时的报警蜂鸣器（29-42）

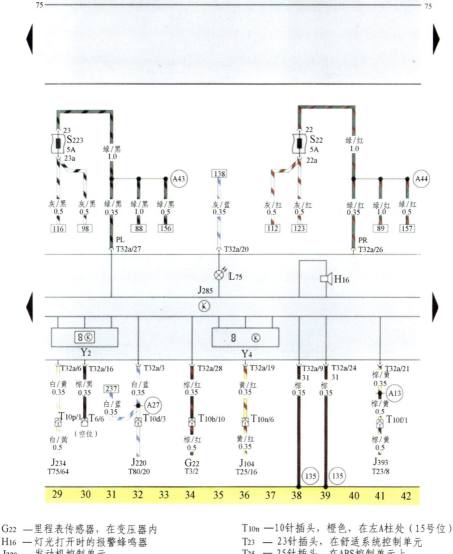

G22 —里程表传感器，在变压器内
H16 —灯光打开时的报警蜂鸣器
J220 —发动机控制单元
J104 —ABS控制单元，在液压单元上
J234 —安全气囊的控制单元
J285 —组合仪表控制单元
J393 —舒适电子的控制单元
L75 —数字钟显示照明灯
S22 —保险丝22,5A，在保险丝架上
S223 —保险丝23,5A，在保险丝架上
T3 —3针插头，在里程表传感器上
T6 —6针插头，黑色，在右A柱处（不接在支架上）
T10b —10针插头，黑色，在发动机室控制单元
　　　防护罩内的左侧（1号位）
T10d —10针插头，棕色，在发动机室控制单元
　　　防护罩内的左侧（2号位）
T10f —10针插头，蓝色，在左A柱处（6号位）
T10p —10针插头，黄色，在右A柱处（5号位）

T10n —10针插头，橙色，在左A柱处（15号位）
T23 —23针插头，在舒适系统控制单元
T25 —25针插头，在ABS控制单元上
T32a —32针插头，蓝色，在组合仪表上
T75 —75针插头，在发动机气囊控制单元上
T80 —80针插头，在发动机控制单元上
Y2 —数字钟
Y4 —里程表
Ⓐ13 —连接线（车门接触开关），在仪表板线束内
Ⓐ27 —连接线（车速信号），在仪表板线束内
Ⓐ43 —连接线（58L），在仪表板线束内
Ⓐ44 —连接线（58R），在仪表板线束内
135 —接地连接线2，在仪表板线束内

图7.4　仪表系统电路

电路图中 D 是_____；J362 是_____，它位于_____；K117 是_____。

二、任务实施

引导问题 3：完成电子防盗系统检修任务，需要使用的工、量具有哪些？需要做哪些作业准备？

1. 工具、设备和材料的准备

在表 7.1 中填写本任务所需要使用的工、量具。

表 7.1 工、量具名称及型号

名　称	型　号

2. 查询并填写信息

车辆信息登记见表 7.2。

表 7.2 车辆信息登记

车辆信息	车辆识别代码	VIN
	发动机型号	

3. 作业前的准备

(1) 汽车进入工位前，将工位清理干净，准备好相关的器材。

(2) 套上转向盘护套、变速杆手柄套和座位套，铺设脚垫。

(3) 将汽车停驻在举升机中央位置。

(4) 拉紧驻车制动器操纵杆。

(5) 将变速杆置于空挡或驻车挡（P 挡）位置。

(6) 在车内拉动发动机舱盖手柄，在车外打开并支撑发动机舱盖。

(7) 安装翼子板布和前格栅布。

引导问题 4：怎样对电子防盗系统进行自诊断？

防盗系统传感器或者部件中出现故障时，将故障信息存储在存储器中，如果故障在以后的 50 个启动过程之内不再出现，防盗控制单元将清除相应的故障码。

故障查询时，必须进行自诊断，并且使用电脑故障诊断仪或 V.A.G1552 来查询存储的信息。下面以电脑故障诊断仪为例说明自诊断过程。将操作过程情况填入表7.3。

表 7.3　读取故障码情况记录表

操作项目	故障码及内容	故障原因	故障排除方法
读取故障码			
清除故障码			

小贴士：

所有的按照电路图规定的熔断器正常；电源电压正常（至少9.0 V）。

1. 故障诊断仪进入到主功能界面并打印

（1）在手制动杆附近，在右边诊断转接器上面取出罩盖。

（2）把电脑/3 导线的插头插到诊断接口上。

故障诊断仪上显示：

```
V.A.G-EIGENDIAGNOSE  帮助
1-快速数据传输
2-闪光代码输出
```

小贴士：

1. 若故障诊断仪中没有显示，按照电路图规定检查 V.A.G1551 的电源。

2. 通过故障诊断仪的帮助（求助程序）按钮可以查询附加的操作说明。

3. "→"按钮用作进一步的程序运行。

4. 在"快速数据传输"操作状态（工作状态）中可以执行"自动校验功能流程"功能00，同时自动地查询所有的汽车系统的控制单元编号。

（3）接通点火开关。

（4）接通带有打印按钮的打印机（按钮中警告灯发光）。

（5）按下"快速数据传输"操作状态的按钮。

故障诊断仪上显示：

```
快速数据传输  帮助
输入地址字××
```

（6）按下按钮 1 和 7。用"17"输入"组合仪表"地址字。

（7）按下 Q 键确认输入。

（8）按下"→"按钮。

故障诊断仪上显示：防盗装置的识别数（14 位数的，VW…）

IMMO-IDENTNR：VWZ5Z0T4311017→

（9）按下"→"按钮。

故障诊断仪上显示：

快速数据传输 帮助

选择功能××

故障诊断仪上显示：

不应答控制设备！帮助

（10）通过按下帮助按钮，使一个可能发生的出错原因的表打印输出。

（11）在故障排除之后，重新输入适用于组合仪表的地址字 17，并且使用 Q 键回车。

故障诊断仪上显示：

IMMO-IDENTNR：VWZ5Z0T4311017→

（12）按下"→"按钮。

故障诊断仪上显示：

快速数据传输 帮助

选择功能××

（13）在按下帮助按钮之后，打印输出一个可能的功能图。各功能见表 7.4。

2. 故障诊断仪可选择的功能一览表

表 7.4　功能一览表

自诊断地址：17 或 25	
代　码	功　　能
01	查询控制单元版本信息及编码
02	查询（读取）存储器故障
05	清除存储器故障
06	结束（终止）输出
08	读取测量数据流
10	匹配及自适应
11	注册（安全）登录

3. 读取存储器故障码

在进入主功能界面后按下面操作步骤读取存储器故障码：

（1）按下按钮 0 和 2（使用 02 来选择"查询存储器故障"功能）。

故障诊断仪上显示：

> 快速数据传输 Q
> 查询 02-误码存储器

（2）使用 Q 按钮确认。

在故障诊断仪上显示故障个数：

> 识别到×错误!

依次显示和打印输出存入的故障信息。

（3）使用打印结果进入故障表，并且清除故障代码。

> 未发现错误! →

在"未发现故障"情况下，在操作"→"按钮之后程序返回到起始位置中。

故障诊断仪上显示：

> 快速数据传输 帮助
> 选择功能××

（4）结束输出（功能 06）。

（5）关闭点火开关，并且断开诊断仪插接器。

4. 清除存储器故障码

在退回到主功能界面后按下面操作步骤清除存储器故障码：

> **小贴士：**
>
> 读取存储器故障码后，清除所有的故障代码。

（1）按下按钮 0 和 5（使用 05 选择"清除故障存储器"功能）。

故障诊断仪上显示：

> 快速数据传输 Q
> 05 清除故障代码存储器

（2）使用 Q 按钮确认输入口。

故障诊断仪上显示：

> 快速数据传输 →
> 代码存储器已被清除的!

至此，故障存储器已被清除。

（3）按下"→"按钮。

退回到主功能界面。

5. 结束输出

（1）按下按钮 0 和 6（使用 06 选择"结束输出"功能）。

故障诊断仪上显示：

```
快速数据传据 Q
结束 06 输出
```

（2）使用 Q 按钮确认输入。

故障诊断仪上显示：

```
快速数据传输 帮助
输入地址字××
```

（3）断开点火开关。

（4）断开用于电脑故障诊断仪的插接器。

6. 故障码查询表

故障码查询表如表 7.5 所示。

表 7.5　故障码查询表

故障码	可能故障原因	可能故障现象	故障排除
01128 适用于防盗装置的阅读线圈	用于组合仪表的阅读线圈的线路有故障或者带有电源线的线圈有故障	发动机不能启动，警告灯闪光	1. 检查带有电源线的读线圈以及线路安装（目视检验），如果必要的话替代读线圈； 2. 清除并且重新查询故障存储器，如果必要的话更换组合仪表
01176 代码（键码）信号过小不认可	阅读线圈或电源线有故障（接触电阻/接触不良） 或者点火钥匙中（发送应答器）电子设备有故障或失效 或者钥匙齿形不对	发电机不启动，警告灯闪光 发动机不启动，警告灯闪光 发动机不启动，警告灯闪光	检查带有电源线的读线圈以及线路安装（目视检验），如果必要的话则更换读线圈； 更换点火钥匙，并且重新使所有的点火钥匙进行匹配和对功能进行检查； 重新匹配所有的点火钥匙和对功能进行检查
01177 发动机控制单元不认可	发动机控制单元不相匹配。控制单元之间的 W 电源线是正常的	发动机不启动，警告灯闪光	使发动机控制单元相匹配

续表 7.5

故障码	可能故障原因	可能故障现象	故障排除
01179 代码程序设计错误	点火钥匙的匹配有故障	警告灯快速地闪光	重新使所有的带有密码的点火钥匙相匹配，并且检查功能
65535 控制单元有故障	组合仪表中电子控制设备有故障	发动机不启动，并且警告灯闪光	更换组合仪表

引导问题 5：怎样读取电子防盗系统数据流？

在进入主功能界面后按下面操作步骤读取数据流（各数据流间的对应关系见表 7.6），将读出的数据填入表 7.7。

表 7.6　各数据流间的对应关系表

启动认可	发动机控制单元应答	钥匙状态正常
是 1	是 1	是 1
否 0	否 0	否 0

表 7.7　读取数据流情况记录表

操作项目	数据流及内容	故障原因
读取数据流		

（1）按下按钮 0 和 8（使用 08 "读出测量数据流"功能）。

故障诊断仪上显示：

> 快速数据传输 Q
> 读出 08 测量数据流

（2）使用 Q 按钮确认输入。

故障诊断仪上显示：

> 读出测量块
> 输入显示组别×××

（3）按下按钮 0，2 和 2。

（4）使用 Q 按钮确认输入。

故障诊断仪上显示，例如：

> 读出测量数据流 22
>
> 1 1 1

引导问题 6：怎样匹配点火钥匙？

如果需要新钥匙或附加点火钥匙，更换钥匙、锁装置和组合仪表时，就必须使它们与防盗装置的控制单元相匹配。在进入主功能界面后按下面操作步骤进行匹配：

> **小贴士：**
>
> 　　使所有的点火钥匙都在手边。如果旧的点火钥匙不是全部在手边，则参见"钥匙遗失时的操作方法"。带有密码（被盖住）的钥匙挂件必须在手边。

（1）把齿形相配的点火钥匙插入到点火开关中。

（2）接通电脑故障诊断仪，选择"快速数据传输"操作状态/接通点火，输入"组合仪表"地址字 17。

（3）按下"→"按钮。

故障诊断仪上显示：

> 快速数据传输 帮助
>
> 选择功能××

（4）输入 1 和 1（使用 11 选择"注册过程"功能）。

故障诊断仪上显示：

> 快速数据传输 Q
>
> 11-注册-过程

（5）使用 Q 按钮确认输入。

故障诊断仪上显示：

> 注册过程
>
> 输入代码编号×××××

（6）输入密码，与此同时，在 4 位（数）号码之前置一个 0（例如 01915）。

密码在代码信息标号上；密码通过防护层小心地"磨擦"（例如使用一个硬币）就可以看见了。

（7）使用 Q 按钮确认输入。

故障诊断仪上显示：

```
快速数据传输 帮助
选择功能××
```

在故障诊断仪上短时间地加以显示:

```
测试器发送地址字 17
```

小贴士:

　　密码输入允许试两次,若要第三次输入密码,必须等 35 分钟以后,并且不能关闭点火开关,同时通过功能06退出诊断方式。

(8) 按下按钮 1 和 0 (使用 10 选择"匹配"功能)。

故障诊断仪上显示:

```
快速数据传输 Q
10-匹配
```

(9) 使用 Q 按钮确定输入。

故障诊断仪上显示:

```
适配
输入通道编号××
```

(10) 按下按钮 2 和 1 (使用 21 选择"通到 21")。

(11) 使用 Q 按钮确认输入。

在故障诊断仪上显示:

```
功能是未知的或 →
目前不能输出
```

(12) 使用密码的输入重复匹配。

故障诊断仪上显示:

```
通道 1 … 匹配 2 →
〈-1 3-〉
```

在上面行中显示,2 个点火钥匙都是对系统匹配的。

(13) 按下"→"按钮。

故障诊断仪上显示:

```
通道 1… 匹配 2→
输入匹配值×××××
```

（14）4 次按下按钮 0，然后输入匹配的点火钥匙的数量，包括现有的钥匙在内（例如：00003）；最多 8 个。

（15）使用 Q 按钮确认输入。

在 3 个匹配的点火钥匙时故障诊断仪上显示：

```
通道 1 匹配 3 Q
〈-1 3-〉
```

（16）使用 Q 按钮确认输入。

故障诊断仪上显示：

```
通道 1 匹配 3 Q
存储修改的数值吗？
```

（17）使用 Q 按钮确认输入。

故障诊断仪上显示：

```
通道 1 匹配 3 →
修改的数值是存入的
```

（18）按下 "→" 按钮。

点火开关中的钥匙这时是匹配的。

（19）断开点火。

（20）把下一个钥匙插入到点火开关中，并且重新接通点火。

（21）防盗装置-K117-的警告灯在组合仪表中熄灭，就重新断开点火开关。

（22）重复过程，一直到所有的钥匙都是匹配的为止。

小贴士：

　　匹配所有的钥匙，不许超过 30 秒钟；在点火断开时不记录时间。

　　如果达到匹配的钥匙的数量，点火钥匙的匹配自动结束。

　　使用一个已经匹配的钥匙重新接通点火开关，并且接通时间大于 1 秒钟（故障被存储）。

　　从带有第 2 个钥匙的点火接通起，超过准许的匹配时间 30 秒（故障被存储）。

（23）选择 "查询存储器故障" 功能 2。如果没有故障存储，则钥匙匹配成功完成。

（1）凭借钥匙号取得备用钥匙。

（2）使点火钥匙匹配。

（3）输入（建立）秘密号码。

如果 4 位（数）的密码不知，或者带有密码的挂件遗失，就必须经过主管的销售中心或者经过进口商借助 14 位（数）的识别码来查询密码。

（4）进行防盗装置的自诊断读取故障码。

（5）读出 14 位（数）的防盗装置的识别码：

故障诊断仪上显示：

> IMMO-IDENTNR：VWZ5ZOT4311017 →

引导问题 8：更换组合仪表时为匹配防盗系统有哪些操作内容？

1. 更换新的组合仪表后操作内容

防盗装置的识别码和密码在供货情况下都已经存储在更换组合仪表中。

（1）对所有车辆钥匙进行匹配。

（2）把特征码登记到车辆证件上。

（3）把密码交给用户。

2. 更换在其他车辆上使用过的组合仪表的操作内容

现有的控制单元必须对更换的组合仪表的防盗装置加以适配。

（1）在更换发动机控制单元时进行匹配。

（2）必须进行所有钥匙的匹配。

（3）把识别号登记到车辆证件上。

（4）把密码交给用户。

引导问题 9：更换发动机控制单元后怎样匹配防盗系统？

发动机控制单元是与组合仪表中的防盗装置的电子控制单元相匹配的，在更换部件时必须重新做一次匹配。如果出现未认可的点火钥匙（或可能是密码），就必须制备新的点火钥匙，并且加以匹配。匹配前必须有认可的点火钥匙。操作步骤如下：

（1）把旧的（认可的）钥匙插入到点火开关中。

（2）接通电脑故障诊断仪，选择"快速数据传输"操作状态 1，接通点火，并且输入"组合仪表"地址字 17。

在控制单元显示特征码后：故障诊断仪上显示：

```
IMMO-IDENTNR: VWZ0Z0T4311017 →
```

（3）按下"→"按钮

故障诊断仪上显示：

```
快速数据传输 帮助
选择功能××
```

（4）按下按钮 1 和 0（使用 10 选择"匹配"功能）。

故障诊断仪上显示：

```
快速数据传输 Q
10-匹配
```

（5）使用 Q 按钮确认输入。

故障诊断仪上显示：

```
匹配
输入通道编号××
```

（6）两次按下按钮 0（使用 00 选择"通道 0"）。

（7）使用 Q 按钮确认输入。

故障诊断仪上显示：

```
匹配 Q
清除学习值?
```

（8）使用 Q 按钮确认输入。

故障诊断仪上显示：

```
匹配 →
学习值已被清除
```

（9）按下"→"按钮。

故障诊断仪上显示：

```
快速数据传输 帮助
选择功能××
```

小贴士：

　　在下一个点火"接通"情况下，发动机控制单元的识别码由防盗装置的电子控制单元输入和存储。

引导问题 10： 在电子防盗系统发生故障时怎么检查？

当电源正常、组合仪表和电脑之间的诊断电源线正常时，在有电路图和维修手册等条件下，帕萨特 B5 轿车发动机启动大约 1 秒钟之后熄火。应对电子防盗系统检修，按下面步骤操作：

(1) 接通电脑故障诊断仪，并且进行自诊断。

(2) 使用地址字 01，选择发动机控制单元。

(3) 读出故障代码存储器（功能 02）。

可能发生的原因：错误代码 17978"发动机控制单元被阻止"出现在故障代码存储器中，也就是说：防盗装置的控制单元不允许发动机控制单元工作。

(4) 清除误码存储器（功能 05），并且结束输出。

(5) 使用地址字 17，选择用于组合仪表的自诊断。

(6) 读出故障代码存储器（功能 02），并且根据故障代码表，如果要的话清除故障存储器的内容。

(7) 在修理结束和防盗装置的元件匹配之后，读发动机控制单元的故障代码存储器内容，并且如果必要的话清除误码存储器作为结束工作，这是绝对必不可少的。

错误代码 17978"发动机控制单元被阻止"没有出现在误码存储器中，也就是说：在防盗装置上没有出现故障！

(8) 在发动机维修手册中，按照规定进行故障码内容检修。

三、评价与反馈

1. 任务实施考核成绩评定（表 7.8）

表 7.8　电子防盗系统检修考核表

考核项目及分值	考核内容	评分标准	评分记录
准备 10 分	1. 清点工具、清理工位 2. 检查电源断开情况	1. 未清洁工量具、工作台扣 3 分 2. 未清洁检查设备扣 5 分	
电子防盗系统自诊断 20 分	1. 条件具备 2. 操作程序、步骤正确 3. 仪器显示正确	1. 不具备扣 5 分 2. 不正确扣 5 分 3. 不正确扣 5 分	
电子防盗系统数据流读取 40 分	1. 条件具备 2. 操作程序、步骤正确 3. 仪器显示正确	1. 不具备扣 5 分 2. 不正确扣 5 分 3. 不正确扣 5 分	
电子防盗系统点火钥匙匹配 20 分	1. 条件具备 2. 操作程序、步骤正确 3. 仪器显示正确	1. 条件具备 2. 操作程序、步骤正确 3. 仪器显示正确	
收尾工作 10 分	1. 清洁工具、量具、工作台； 2. 工、量具应摆放整齐；	1. 未清洁扣 1~3 分 2. 未摆放整齐扣 1 分	
考核时限	完成全部考核内容规定用时为 15 分钟	1. 超时每分钟扣 5 分 2. 超时 5 分钟即停止记分	

2. 任务过程评价与反馈（表7.9和表7.10）

表7.9 任务过程评价表（教师填写）

考核项目	评分标准	分数	成绩	过程评价
劳动纪律	有无迟到、早退和旷工	5		
团队合作	是否和谐	5		
活动参与	是否精彩	5		
安全生产	有无安全隐患	10		
操作过程	是否正确、熟练	30		
任务质量	是否圆满完成	10		
工具、设备使用	是否规范、标准	10		
工作页填写	是否完整、规范	15		
现场5S	是否做到	10		
总　分		100		

注：没有按照操作流程操作，出现人身伤害或设备严重事故，本任务考核结果为0分。

表7.10 任务过程反馈表（学生填写）

反馈内容	回答
你是否完成本学习任务，并得到老师的确认？	
你是否能准确有效地收集、分析和组织完成资料，正确地交流信息？	
你是否已经掌握预期的知识和必备的技能？	
你是否充分使用学习资源和按计划有组织地完成目标？	
操作完成水平： 　上述表格中的项目应为肯定回答。若不是，应咨询老师。你可以要求附加相关活动，以便完成相关的操作技能。 　教师签字：_____ 　学生签字：_____ 　完成日期：_____	

学习任务八　发动机不能启动的综合故障诊断与排除

情景描述

一辆帕萨特轿车的客户反映他的爱车无法启动，请你对他的爱车进行检查，找出故障原因和故障点并进行修复。

任务描述

清楚电控发动机故障诊断的基本原则和基本方法，会使用检测工具和设备诊断发动机常见故障。寻找故障点，对故障点进行检测，对损坏的元件进行元件测试，并正确使用工具排除故障。

学习目标

通过本学习任务的学习，应当能：

(1) 知道电控发动机故障诊断的基本原则。

(2) 知道电控发动机故障诊断的基本方法。

(3) 使用诊断仪诊断故障。

(4) 使用诊断仪测试元件。

(5) 使用工具排除故障。

建议学时

➢ 6 课时。

学习内容

电控发动机故障诊断原则	→		←	按正确诊断步骤查找故障点
电控发动机故障诊断方法	→	发动机不能启动的综合故障诊断与排除	←	
发动机不能启动故障原因	→		←	使用工具排除故障

一、任务准备

引导问题 1：电控发动机故障诊断原则是什么？

电控发动机发生故障时的检测诊断，应按照先机械后电子，先一般后专项，先易后难的规则进行处理。当前对于常规发动机的故障诊断和维修已有了丰富的经验，所以机械故障是比较易于解决的。

虽然电控发动机的电子控制系统是一个精密而又复杂的系统，其故障的诊断也较为困难，但是只要按较为实用的原则，仍然能较轻松地完成电控发动机诊断任务，这个诊断原则主要有：_____

_____

_____

（先外后内、先简后繁、先熟后生、代码优先、先思后行、先备后用……）

引导问题 2：电控发动机故障诊断的基本方法有哪些？

电控发动机故障诊断按故障诊断方法，可分为：

(1) _____

(2) _____

(3) _____

(4) _____

(5) _____

_____

(1) 直观诊断；(2) 利用自诊断系统诊断；(3) 简单仪表诊断；(4) 专用诊断仪器诊断；(5) 故障征兆模拟试验方法；(6) 电脑数值分析法；(7) 电脑信号波形分析法；(8) 资料分析法；(9) 经验分析判断法。

引导问题 3：帕萨特 B5 轿车发动机能够正常启动的工作条件是什么？

(1) _____

(2) _____

(3) _____

(4) 汽车钥匙经过正常匹配。

(5) _____

引导问题 4：发动机不能启动的主要原因有哪些？

发动机不能启动的主要原因有：

(1) _____

(2) _____

(3) _____

(4) _____

(5) _____

发动机电控系统故障诊断步骤如图 8.1 所示。

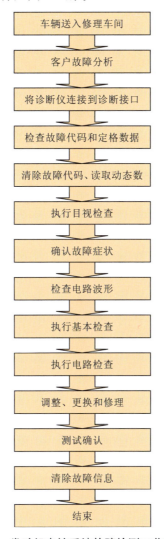

图 8.1　发动机电控系统故障检测工艺流程图

二、任务实施

引导问题 5：完成电控发动机常见故障诊断与排除任务，需要使用的工、量具有哪些？需要做哪些作业准备？

1. 工具、设备和材料的准备

在表 8.1 中填写本任务所需要使用的工、量具。

表 8.1　工、量具名称及型号

名　　称	型　　号

2. 查询并填写信息

车辆信息登记见表 8.2。

表 8.2　车辆信息登记

车辆信息	车辆识别代码	VIN
	发动机型号	

3. 作业前的准备

(1) 汽车进入工位前，将工位清理干净，准备好相关的器材。

(2) 套上转向盘护套、变速杆手柄套和座位套，铺设脚垫。

(3) 将汽车停驻在举升机中央位置。

(4) 拉紧驻车制动器操纵杆。

(5) 将变速杆置于空挡或驻车挡（P 挡）位置。

(6) 在车内拉动发动机舱盖手柄，在车外打开并支撑发动机舱盖。

(7) 安装翼子板布和前格栅布。

引导问题 6： 如何正确诊断发动机不能启动的故障？

发动机不能启动的故障检测工艺流程如图 8.2 所示。

1. 故障现象确认

(1) 插入点火开关钥匙，打开点火开关，观察故障指示灯是否常亮。

(2) 启动发动机，观察发动机故障现象（见表 8.3）。

表 8.3　故障现象确认

故障再现	故障指示灯	
	启动发动机，观察并描述故障现象	

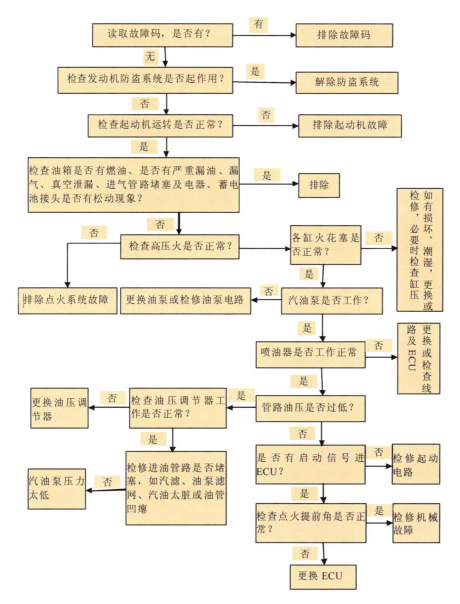

图 8.2　发动机不能启动的故障检测工艺流程图

2. 检查蓄电池是否正常

按正确方法检查蓄电池，将检查情况填入表 8.4。

表 8.4　蓄电池检测登记表

检测方法	检测内容	检测结果
直观检测		
静止电压检测		
高率放电计测试		

3. 判断起动机的工作状态是否正常

检查起动机的操作方法及步骤按维修手册规定执行，如图 8.3 所示为起动机，将检测情况填入表 8.5。

图 8.3　起动机

表 8.5　起动机检查登记表

检测方法	检测内容	检测结果
起动机性能测试		
起动线路检查		

4. 使用故障诊断仪读取故障码、数据和波形

（1）使用故障诊断仪读取故障代码如图 8.4 所示，具体操作方法参见 "学习任务二"。

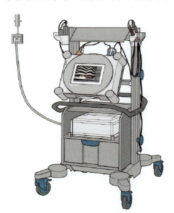 

图 8.4　故障诊断仪读取故障码

① 关闭点火开关，连接故电脑检测仪。

② 打开诊断仪电源，启动诊断仪。

③ 进入诊断系统初始界面。

④ 打开点火开关，选择车辆自诊断。

⑤ 选择发动机电子系统

⑥ 点击屏幕右下角的三角箭头，进入车辆自诊断界面。

⑦ 选择 02-查询故障。

⑧ 读出故障代码，将你读取的故障代码填入表 8.6 中。

表 8.6　读故障代码

故障代码	代码含义	大致故障范围

⑨ 点击屏幕左下角向左的箭头，退出到故障自诊断界面，点击 05-清除故障存储器，清除故障代码。

如果你使用的是电脑，请按表 8.7 中代码的意思进行选择输入。

表 8.7　电脑通道号代码功能

代　码	功　能	代　码	功　能
01	查询控制单元型号及编码	06	结束（终止）输出
02	查询（读取）故障代码	08	读取测量数据流
03	执行元件测试	09	读取单个测量数据
04	基本调整	10	匹配及自适应
05	清除故障代码	11	密码输入

(2) 读取 ECU 中的数据。

① 在故障自诊断界面选择 08-读数据块。

② 输入需读数据块通道号。

③ 读取数据。请读取表 8.8 中的数据值。

表 8.8　读数据流

检测内容	数　值	单位
发动机转速		
喷油量		
冷却液温度		
进气温度		
点火提前角		
发动机负荷		

（3）连接专用示波器，检测传感器波形（在这里以曲轴转速传感器为例），在图8.5中画出所测波形和正确波形。

【维修前】 根据故障内容检测相关电路波形，并填写被测元件端口编号，画出或打印出波形	示波器正表笔连接元件端口编号： 及针脚号： _____ 示波器负表笔连接部位： _____	每格电压：　　　　　每格时间：
【维修后】 根据故障内容检测相关电路波形，并填写被测元件端口编号，画出或打印出波形	示波器正表笔连接元件端口编号： 及针脚号： _____ 示波器负表笔连接部位： _____	每格电压：　　　　　每格时间：

图 8.5　画出曲轴转速传感器波形图

5. 检测发动机气缸压力

发动机气缸压力检测参见"学习任务一"，将检测的情况填入表8.9。

表 8.9　气缸压力检测登记表

缸号	标准缸压（kPa）	检测缸压（kPa）	结论
1			
2			
3			
4			
说明：			

引导问题 7：如何排除发动机故障？

排除电控发动机综合故障是根据前面的检测、诊断结果，制订合适的故障排除措施，再执行零部件的修理、更换，具体操作见相关内容。

（1）检测蓄电池电压，如电压小于 11.6 V，则给蓄电池充电或更换蓄电池。

（2）检测起动机控制电路，看电路是否出现断路、短路、搭铁等故障。如果元件或导线损坏，则需要更换。

（3）检测曲轴位置传感器及信号电路是否正常。如果电路故障，恢复；如果曲轴位置传感器损坏，更换。

（4）检测 ECU 电源供电是否正常。

（5）检查火花塞跳火是否正常（包括能否跳火、跳火能量、跳火顺序等），根据现象看看是火花塞引起还是点火模块引起，如果是火花塞引起，更换火花塞；如果是点火模块引起，检查控制电路；如果是电路引起，排除电路故障；否则更换点火模块。

（6）检查燃油系统故障，检查发动机燃油压力是否正常。如果燃油压力不正常，检查燃油油路是否堵塞、燃油泵控制电路和燃油泵是否正常。如果燃油压力正常，检查喷油器控制电路和喷油器是否正常。

（7）利用气缸压力表检测气缸压力，看发动机气缸压力是否正常。如果气缸压力不正常，应对发动机机械部分进行检修。

三、评价与反馈

1. 任务实施考核成绩评定（表 8.10）

表 8.10　发动机综合故障检修考核表

考核项目及分值	考核内容	评分标准	评分记录
准备工作 10 分	1. 清点工具、清理工位 2. 检查电源断开情况	1. 未清洁工量具、工作台扣 3 分 2. 未清洁检查设备扣 5 分	
发动机综合 故障诊断 30 分	1. 诊断原则、方法正确 2. 故障诊断程序、步骤正确 3. 故障诊断结果正确	1. 不正确扣 5 分 2. 不正确扣 5 分 3. 不正确扣 5 分	
主要零部 件检测 30 分	1. 检测方法正确 2. 检测程序、步骤正确 3. 检测结果正确	1. 不正确扣 5 分 2. 不正确扣 5 分 3. 不正确扣 5 分	
发动机综合 故障排除 20 分	1. 排除故障方法正确 2. 操作程序、步骤正确 3. 结果正确	1. 不正确扣 5 分 2. 不正确扣 5 分 3. 不正确扣 5 分	
收尾工作 10 分	1. 清洁工具、量具、工作台 2. 工、量具应摆放整齐	1. 未清洁扣 1~3 分 2. 未摆放整齐扣 1 分	
考核时限	完成全部考核内容规定用时为 15 分钟	1. 超时每分钟扣 5 分 2. 超时 5 分钟即停止记分	

2. 任务过程评价与反馈（见表 8.11 和表 8.12）

表 8.11 任务过程评价表（教师填写）

考核项目	评分标准	分数	成绩	过程评价
劳动纪律	有无迟到、早退和旷工	5		
团队合作	是否和谐	5		
活动参与	是否精彩	5		
安全生产	有无安全隐患	10		
操作过程	是否正确、熟练	30		
任务质量	是否圆满完成	10		
工具、设备使用	是否规范、标准	10		
工作页填写	是否完整、规范	15		
现场 5S	是否做到	10		
总　分		100		

注：没有按照操作流程操作，出现人身伤害或设备严重事故，本任务考核结果为 0 分。

表 8.12 任务过程反馈表（学生填写）

反馈内容	回答
你是否完成本学习任务，并得到老师的确认？	
你是否能准确有效地收集、分析和组织完成资料，正确地交流信息？	
你是否已经掌握预期的知识和必备的技能？	
你是否充分使用学习资源和按计划有组织地完成目标？	
操作完成水平： 　上述表格中的项目应为肯定回答。若不是，应咨询老师。你可以要求附加相关活动，以便完成相关的操作技能。 教师签字：＿＿＿＿＿＿＿＿＿＿＿＿＿＿＿ 学生签字：＿＿＿＿＿＿＿＿＿＿＿＿＿＿＿ 完成日期：＿＿＿＿＿＿＿＿＿＿＿＿＿＿＿	

学习任务九　发动机总装与竣工检验

情景描述

一辆帕萨特轿车的发动机进行大修，已经完成解体后的检修，需对发动机进行总装，并进行竣工检验，请制订计划并实施。

任务描述

知道发动机总装要求和发动机总成大修竣工验收技术要求，明白维修企业竣工检验制度，正确选用合适的工具和设备，完成发动机总成的装配和吊装作业，并对大修后的发动机进行检查。

学习目标

通过本学习任务的学习，应当能：
（1）知道发动机总装要求。
（2）知道发动机总成大修竣工验收的技术要求。
（3）清楚维修企业竣工检验制度。
（4）正确装配发动机总成和吊装发动机总成。
（5）正确对大修后的发动机进行检查。

建议学时

➢ 18课时。

学习内容

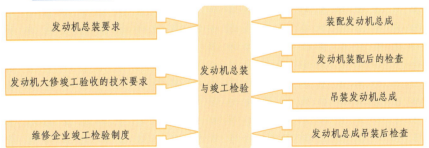

一、任务准备

引导问题 1： 发动机总装的要求有哪些？

(1) 准备装合的零、部件及总成都要经过＿＿＿＿＿＿＿，必须保证＿＿＿＿＿＿。

(2) 易损零件、紧固锁止件应全部换新，如气缸垫及其他衬垫、开口销、自锁螺母、弹簧垫圈等。

(3) 严格保持零件、润滑油道清洁。零件清洗洁净后应用压缩空气吹干，并在光洁面上涂一层＿＿＿＿＿＿，以防生锈。气缸体上安装缸盖螺栓的盲螺孔中不得积存＿＿＿＿＿＿，以免旋入缸盖螺栓时，挤压孔中的积液而形成极高的液压，致使螺孔周围的缸体平面向上凸起或开裂。

(4) 不许互换的零件（如气门等），应做好＿＿＿＿＿＿，以防错装。全部零件清洁、清点后应分类摆放整齐。

(5) 装配时，应在零件的配合表面（过盈配合、过渡配合、动配合表面）和摩擦表面（如凸轮、齿轮、摇臂头部、螺纹等）上涂抹＿＿＿＿＿＿，做好＿＿＿＿＿＿。

引导问题 2： 发动机总成修理竣工技术条件有哪些？

1. 一般技术要求

(1) 装备齐全、按规定完成了发动机磨合，无＿＿＿＿、＿＿＿＿、＿＿＿＿、＿＿＿＿现象。

(2) 加注的机油量、牌号以及润滑脂符合＿＿＿＿＿＿。

(3) 急加速时无＿＿＿＿，不＿＿＿＿，消声器无＿＿＿＿，工作中无＿＿＿＿。

(4) 机油压力和水温＿＿＿＿＿＿。

(5) 气缸压力符合原厂规定，各缸压力差，汽油机应不超过各缸平均压力的＿＿＿＿，柴油机不超过＿＿＿＿。

(6) 四冲程汽油机转速在 500～600 r/min 时，以海平面为准，进气歧管真空度应在 kPa 范围内，其波动范围，六缸机不超过 3.5 kPa，四缸机不超过＿＿＿＿kPa。

2. 主要使用性能

(1) 发动机在正常工作温度下，＿＿＿＿s 内能启动。柴油机在 5 ℃，汽油机在 −5 ℃ 环境下，启动顺利。

(2) 配气相位差不大于 2°30′。

(3) 加速灵敏，速度过渡圆滑，怠速＿＿＿＿，各工况＿＿＿＿＿＿。

(4) 最大功率和最大转矩不低于原厂规定的＿＿＿＿＿＿。

(5) 最低燃料消耗率不得高于原厂规定。

(6) 发动机排放限值应符合规定。

引导问题 3： 维修企业竣工检验制度主要有哪些？

(1) 汽车维修竣工检验由专职检验人员负责实施。

（2）汽车维修竣工检验内容为_____、_____、_____、检测路试后的再检测及_____。

（3）修竣车辆竣工检验严格依据《营运车辆综合性能要求和检验方法》（GB/T 18565—2001）要求进行。首先进行整车外观和底盘检查，检查合格后进行路试，对于路试中所发生的不正常现象，要认真复查。路试合格后重新进行底盘检查，确保各坝技术性能合格后由总检开具出厂合格证。

（4）对于进行二级维护及以上维修作业的车辆，除上述检验内容外，还必须经计量认证的汽车综合性能检测站检测合格。

（5）严禁为检验不合格的车辆开具_____。

（6）竣工检验合格的车辆实行规定的_____制度。

（7）填写_____。

（8）发动机大修工艺流程图如图9.1所示。

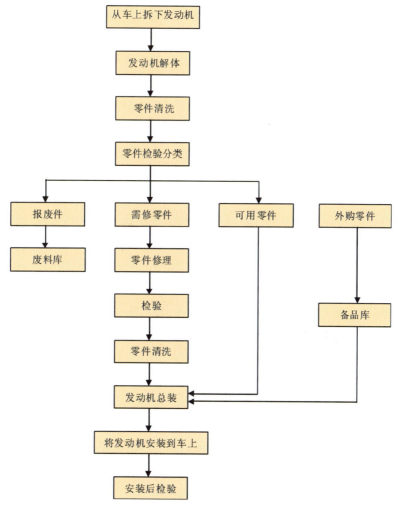

图 9.1　发动机大修工艺流程图

二、任务实施

引导问题 4：完成本任务，需要使用的主要工、量具有哪些？

在表 9.1 中填写本任务所需要使用的工、量具。

表 9.1　工、量具名称及型号

名　称	型　号

引导问题 5：怎样规范装配发动机总成？

（1）安装曲轴总成。

曲轴在安装时，应是已安装上飞轮并做过动平衡的曲轴飞轮组件。

① 在各主轴承表面涂机油。

② 安装曲轴轴承，安装止推垫片，放置曲轴和主轴承盖及螺栓。

③ 如图 9.2 所示，按顺序分几次均匀地拧紧主轴承盖螺栓。

④ 检查曲轴转动灵活。

⑤ 检查曲轴止推间隙。

图 9.2　曲轴主轴承盖螺栓拧紧顺序

（2）安装连杆分总成。

① 使用活塞环收紧器，按正确的位置把活塞和连杆总成推入各自的气缸，活塞的前标记朝前，如图 9.3 所示。

② 把连杆盖装在连杆上。连杆盖与连杆匹配，前标记朝前。

③ 在连杆盖螺母下方涂一薄层机油。

图9.3　安装连杆分总成

④ 按规定力矩分几次交替拧紧螺母。

⑤ 用油漆在螺帽和连杆螺栓上做标记，再将螺帽拧紧90°。

⑥ 检查曲轴转动灵活，检查连杆止推间隙。

（3）安装机油泵及集滤器总成。

如图9.4所示，安装机油泵及集滤器总成

（4）安装油底壳（见图9.5）。

安装油底壳时使用密封填料，密封填料的施用位置和用量的有关信息，请参考维修手册。

图9.4　安装机油泵及集滤器总成

图9.5　安装油底壳

（5）安装气缸垫（见图9.6）。

① 安装气缸垫以前，清洁气缸盖下部和气缸盖上部。清洁螺栓孔所有油污和湿气。

② 按照正确的方向将垫片定位。

图9.6　安装气缸盖垫

（6）安装气缸盖。

① 在气缸盖螺栓的螺纹和螺栓头下部涂一薄层机油，按图9.7所示顺序分几次均匀拧紧气缸盖螺栓。

② 用油漆在气缸盖螺栓的前面作标记，按顺序再将气缸盖螺栓拧紧180°。

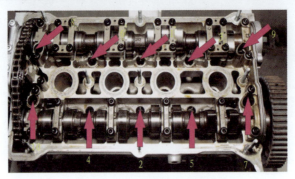

图9.7　气缸盖螺栓拧紧顺序

（7）安装凸轮轴。

小贴士：

　　由于凸轮轴的止推间隙很小，必须保持水平装入凸轮轴。如果凸轮轴不能保持水平，气缸盖承受轴的推力可能开裂或损坏，造成凸轮轴变形或断裂。

① 放置凸轮轴，对准链条标记（见图9.8），安装驱动链条之间的凸轮轴正时调节器和链条张紧器。

② 放置凸轮轴轴承盖和螺栓。分几次均匀拧轴承盖紧固螺栓。

图9.8　链条正时标记

（8）安装水泵总成。

（9）安装正时皮带。

（10）安装气缸盖罩（图9.9）

（11）安装发电机及皮带。

（12）安装进排气歧管等其他附件并连接管路。

图 9.9　安装气缸盖罩

按照发动机大修后的技术要求，对装配后的发动机进行检查，完成表 9.2 和表 9.3。

表 9.2　常规检测

检查项目	是否正常	描述不正常现象
有无四漏现象		
5s 内能否顺利启动		
怠速是否稳定，怠速转速是否正常		
加速是否灵敏，有无异响		
急加速有无爆震、回火和放炮现象		
机油压力和水温是否正常		

表 9.3　仪表检测

检测项目	测量值	技术要求	是否正常
气缸压力值			
气缸压力差			
进气歧管真空度			

引导问题 7：怎样规范吊装发动机总成？

（1）从大修台上拆卸发动机。

① 将吊索装置连接到发动机吊耳上（见图 9.10）。

② 从大修支座上拆卸发动机。

图 9.10　从大修台上拆卸发动机

（2）安装离合器和飞轮。

① 在曲轴上安装 SST 固定曲轴，安装飞轮并拧紧安装螺栓（见图 9.11）。

② 将 SST 插入离合器盘中，然后再将其插入飞轮中，对准飞轮和离合器壳上标记，对准离合器和飞轮中心，拧紧安装螺栓。

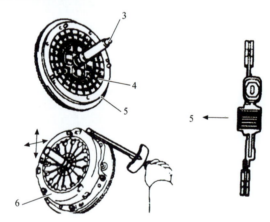

图 9.11　安装离合器和飞轮

（3）安装驱动桥。

如图 9.12 所示，将花键润滑脂抹在驱动桥输入轴上，将离合器盘花键与驱动桥的输入轴对准，拧紧安装螺栓。

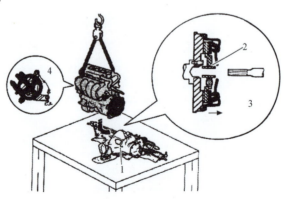

图 9.12　安装驱动桥

（4）安装发动机（见图 9.13）。

① 将发动机放在发动机升降托架上。

② 举升发动机的同时注意线束和管道不要钩在其他位置上或者与车身接触。

③ 检查发动机安装位置和悬架梁安装位置，在车上安装发动机。

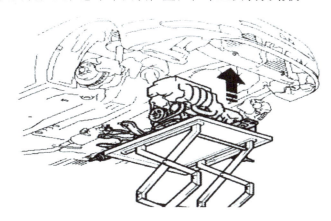

图 9.13　安装发动机总成

（5）悬架梁位置定位。

将 SST 插入车身和悬架梁的基准孔中，然后用手拧紧所有螺栓，再用工具按规定力矩拧紧螺栓。

（6）安装车下部的部件（见图 9.14）。

将拆卸的部件安装在原来的位置。

① 安装驱动轴。

> 小贴士：
>
> 对准拆卸时做的安装标记；不要损坏驱动轴护套和转速传感器转子；拆卸后的锁止螺母不能再次使用，必须更换新的锁止螺母。

② 安装横拉杆端头。

> 小贴士：
>
> 开口销用过一次后不能再用，必须更换新的开口销。

③ 安装排气管。

④ 安装稳定器。

> 小贴士：
>
> 先用手拧紧螺栓和螺母，再用工具拧紧，防止部件滑落。

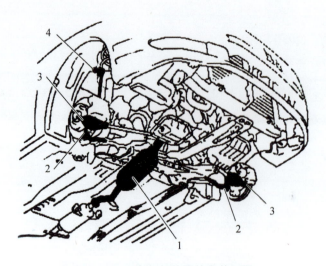

图9.14 汽车下部的零件安装位置

(7) 安装发动机室内小总成（见图9.15）。

图9.15 发动机室内小总成安装位置

① 安装空调压缩机。

小贴士：

　　不要使空调压缩机碰到散热器等，以免造成损坏。

② 安装离合器分离泵。

小贴士：

　　切勿使挠性软管管路弯曲。

③ 安装换挡和选挡拉线。

小贴士：

　　有些车型不允许重复使用现有卡扣，请参照修理手册以确认卡扣是否可以重复使用。

④ 安装传动带。

⑤ 安装加速踏板拉线。

（8）连接燃油管（见图9.16）。

图 9.16　连接燃油管

（9）连接卡箍和软管。

（10）安装转向中间轴。

确保方向盘和转向齿轮处于中心位置，对准中间轴与转向齿轮标记，拧紧螺栓。

（11）安装换挡杆。

向换挡杆顶端涂抹润滑脂，检查换挡杆的方向定位，然后将它安装在变速器上。重新安装中央储物箱。

（12）连接连接器和线束（见图9.17）。

（13）加注冷却液（见图9.18）。

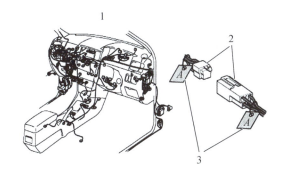

图 9.17　连接连接器和线束

图 9.18　加注冷却液

将加热器的温度设置为最高，加注冷却液至满的标记，安装散热器盖。

（14）连接控制单元线束接头。

如图 9.19 所示，连接蓄电池负极。

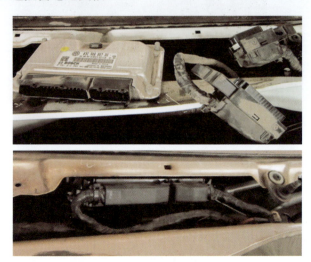

图 9.19　连接控制单元线束接头

引导问题 8：怎样规范地进行吊装发动机后的检查？

1. 发动机启动前检查（见图 9.20）

按照表 9.4 中的顺序检查以便确认总成是否遗漏以及安装是否良好。在对应选项中打"√"，并填写处理措施。

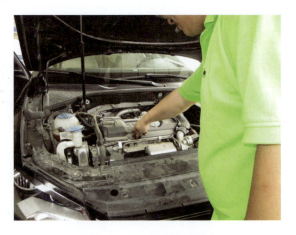

图 9.20　发动机启动前检查

表 9.4　发动机启动前检查

检查项目	良好	不正常	处理措施
确认连接器被连接到拆卸时所贴标签对应的位置			
轻轻拉动各连接器，检查其是否连接良好			
确认没有螺栓或者螺母松动			
检查是否有总成或零件遗失在托盘、工作台上或者其他地方			
检查所有的卡箍是否安装在正确的位置			
检查是否有冷却液或者发动机机油从软管或者管道接头处泄漏			
检查发动机中注入的机油是否达到机油尺的"F"标记			
检查传动皮带是否安装在正确的位置上			
检查传动皮带张紧力是否合适			
恢复燃油泵电路连接，由 OFF 转至 ON 位置多次转动点火开关，使燃油泵间歇工作，检查燃油是否泄漏			

2. 发动机启动后检查（见图 9.21）

启动发动机并进行表 9.5 中的检查。在对应选项中打"√"，并填写处理措施。

表 9.5　发动机启动后检查

检查项目	良好	不正常	处理措施
检查发动机启动是否正常			
检查发动机启动后是否有异常声音			
检查燃油是否泄漏			
检查是否有发动机机油或者冷却液泄漏			
检查排气歧管及排气管是否漏气，进气管路是否有真空泄漏			
检查发动机是否有异常的振动			
使用发动机性能检测仪检测发动机控制系统、点火正时是否正常			
使用发动机尾气分析仪检查尾气排放情况			
检查传动皮带张紧力是否合适			
恢复燃油泵电路连接，由 OFF 转至 ON 位置多次转动点火开关，使燃油泵间歇工作，检查燃油是否泄漏			

3. 行驶检查（见图 9.22）

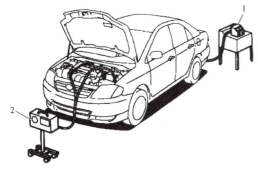

图 9.21　发动机启动检查

图 9.22　行驶检查

驾驶车辆并进行表 9.6 中的检查。在对应选项中打 "√"，并填写处理措施。

表 9.6　行驶检查

检查项目	良　好	不正常	处理措施
起动车辆时，检查拆卸过的部件周围是否有异常噪声			
加速和减速时，或者进行发动机制动时，检查是否有异常噪声			

4. 行驶后检查（见图 9.23）

驾驶后利用举升机将车辆举升，并进行表 9.7 中的检查。在对应选项中打 "√"，并填写处理措施。

表 9.7　行驶后检查

检查项目	良　好	不正常	处理措施
发动机机油有无泄漏，液位是否合适			
燃油是否泄漏			
冷却液是否泄漏			
变速器油是否泄漏			

图 9.23　行驶后检查

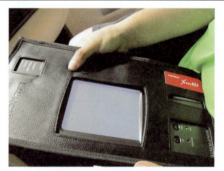

图 9.24　恢复车辆信息

5. 恢复车辆信息（见图 9.24）

所有的检查都已经完成后，连接诊断仪，恢复已经记录下的车辆信息，并完成表 9.8。

表 9.8　恢复车辆信息

检查项目	已恢复	未恢复
恢复收音机频道		
恢复时钟		
恢复转向盘位置（带有记忆系统）		
恢复座椅位置（带有记忆系统）		

6. 填写竣工检验单

根据发动机装配后的检查和发动机吊装后的检查，完成大修竣工检验单的填写，如表 9.9 所示。

表 9.9　汽车维修行业发动机大修竣工检验单

编号：

<table>
<tr><td>进厂编号</td><td></td><td>厂牌车型</td><td colspan="3"></td><td colspan="3">车牌照号码</td><td colspan="3"></td></tr>
<tr><td>发动机编号</td><td></td><td>竣工日期</td><td colspan="3"></td><td colspan="3">主修人</td><td colspan="3"></td></tr>
<tr><td colspan="12">发动机外观、装备及性能</td></tr>
<tr><td colspan="4">检验内容及结果：</td><td colspan="8">检验内容及结果：</td></tr>
<tr><td colspan="4">发动机外观：</td><td colspan="8">怠速转速/（$r \cdot min^{-1}$）</td></tr>
<tr><td colspan="4">喷（涂）漆：</td><td colspan="8">运转状况：
怠速：　中速：　高速：　加速及过度：</td></tr>
<tr><td colspan="4">四漏检查：
油：　水：　电：　气：</td><td colspan="8">发动机异响：</td></tr>
<tr><td colspan="4">螺栓螺母：</td><td colspan="8">机油压力，MPa
怠速：________高速：</td></tr>
<tr><td colspan="4" rowspan="4">润滑油：</td><td colspan="8">气缸压力，MPa</td></tr>
<tr><td>1</td><td>2</td><td>3</td><td>4</td><td>5</td><td>6</td><td>7</td><td>8</td></tr>
<tr><td></td><td></td><td></td><td></td><td></td><td></td><td></td><td></td></tr>
<tr><td colspan="8">气缸压力差/MPa</td></tr>
<tr><td colspan="3">空滤器：</td><td colspan="4">调速率（柴油机）：</td><td colspan="5">（汽油机）真空度/kPa
怠速：　波动范围：</td></tr>
<tr><td colspan="4" rowspan="4">限速装置：</td><td colspan="8">（柴油机）排放污染物：</td></tr>
<tr><td rowspan="3">（汽油机）</td><td colspan="3">怠速____r/min</td><td colspan="4">高怠速____r/min</td></tr>
<tr><td>CO
%</td><td colspan="2">HC
10^{-6}</td><td colspan="2">CO
$\%10^{-1}$</td><td colspan="2">HC
10^{-6}</td></tr>
<tr><td></td><td colspan="2"></td><td colspan="2"></td><td colspan="2"></td></tr>
<tr><td colspan="4">启动性能：</td><td colspan="8">额定功率/kW　　最大转矩/N·m</td></tr>
<tr><td colspan="4">电控系统有无故障码显示：</td><td colspan="8">发动机燃油消耗率/$g(kW \cdot h)^{-1}$：</td></tr>
<tr><td colspan="4">电控系统有无故障码显示：</td><td colspan="8">发动机噪声：</td></tr>
<tr><td colspan="12">备注：</td></tr>
</table>

竣工检验员：____________　　　　　　　　______年____月

三、评价与反馈

1. 任务实施考核成绩评定（表9.10）

表 9.10　动机总装与竣工检验考核表

考核项目及分值	考核内容	评分标准	评分记录
准备工作 5分	清洁工量具及其工作台	1. 未清洁工量具扣1分 2. 未清洁工作台扣1分	
装配发动机总成 20分	安装曲轴总成和连杆分总成 安装机油泵及集滤器总成 安装油底壳 安装气缸盖和凸轮轴 安装水泵总成和正时皮带 安装气缸盖罩 安装发电机及皮带 安装其他附件并连接管路。	1. 未正确安装各个部件一次 扣2分 2. 未正确对准标记一次扣5分 3. 未按规定力矩拧紧一次扣5分 4. 未正确说出部件名称一次 扣2分 5. 未正确按照步骤安装一次 扣3分	
检查装配好的发动机 25分	有无四漏现象 能否顺利启动 怠速和加速工况检查 机油压力和水温 气缸压力 真空度	1. 检查漏一项扣5分 2. 检查方法错扣3分 3. 检查部位错误扣3分 4. 检查数据不正确扣5分	
吊装发动机总成 20分	从大修台上拆卸发动机 安装离合器和飞轮 安装驱动桥和安装发动机 安装车下部的部件 安装发动机室内小总成 连接燃油管、软管和线路 安装转向中间轴和换挡杆 加注冷却液	1. 未正确安装各个部件一次 扣2分 2. 未正确对准标记一次扣5分 3. 未按规定力矩拧紧一次扣5分 4. 未正确说出部件名称一次 扣2分 5. 未正确按照步骤安装一次 扣3分	
吊装发动机后的检查 25分	发动机启动前检查 发动机启动后检查 行驶检查 行驶后检查 恢复车辆信息 填写大修竣工检验单	1. 检查漏一项扣5分 2. 检查方法错扣3分 3. 检查部位错误扣3分 4. 检查数据不正确扣5分	
收尾工作 5分	清洁工具、量具、工作台 工、量具应摆放整齐	1. 未清洁扣1~3分 2. 未摆放整齐扣1分	
考核时限	完成全部考核内容规定用时为120分钟	1. 超时每分钟扣5分 2. 超时5分钟即停止记分	

2. 任务过程评价与反馈（表 9.11 和表 9.12）

表 9.11　任务过程评价表（教师填写）

考核项目	评分标准	分数	成绩	过程评价
劳动纪律	有无迟到、早退和旷工	5		
团队合作	是否和谐	5		
活动参与	是否精彩	5		
安全生产	有无安全隐患	10		
操作过程	是否正确、熟练	30		
任务质量	是否圆满完成	10		
工具、设备使用	是否规范、标准	10		
工作页填写	是否完整、规范	15		
现场 5S	是否做到	10		
总　分		100		

注：没有按照操作流程操作，出现人身伤害或设备严重事故，本任务考核结果为 0 分。

表 9.12　任务过程反馈表（学生填写）

反馈内容	回答
你是否完成本学习任务，并得到老师的确认？	
你是否能准确有效地收集、分析和组织完成资料，正确地交流信息？	
你是否已经掌握预期的知识和必备的技能？	
你是否充分使用学习资源和按计划有组织地完成目标？	
操作完成水平： 　上述表格中的项目应为肯定回答。若不是，应咨询老师。你可以要求附加相关活动，以便完成相关的操作技能。 　教师签字：＿＿＿＿＿＿＿＿＿＿＿＿＿＿＿＿ 　学生签字：＿＿＿＿＿＿＿＿＿＿＿＿＿＿＿＿ 　完成日期：＿＿＿＿＿＿＿＿＿＿＿＿＿＿＿＿	

学习任务十　柴油发动机共轨电喷供油系统检修

情景描述

一名客户反映他的高压共轨柴油车功率不足，发动机能启动，汽车行驶时，油门踩到底，发动机最高转速只能达到 1 500 转左右，空转时正常。要求查明故障原因并进行处理。

任务描述

清楚电喷柴油机共轨供油系统的组成和功能，认识共轨系统主要零部件及工作过程。使用专用解码器和合适的检测工具，对柴油机燃油共轨系统进行检测，排除柴油机共轨系统故障。

学习目标

通过本学习任务的学习，应当能：
(1) 知道电喷柴油机共轨供油系统的组成和功能。
(2) 明白共轨系统主要零部件及其工作原理。
(3) 正确使用专用解码器。
(4) 正确对燃油共轨系统进行检修。

建议学时

➢ 10 课时。

学习内容

```
电喷柴油机共轨供油系统的组成和功能 →              ← 正确使用专用解码器

                         柴油发动
                         机共轨电
                         喷供油系
                         统检修

共轨系统主要零部件及其工作原理 →                 ← 正确对燃油共轨系统进行检修
```

一、任务准备

引导问题1：电喷柴油机共轨供油系统的组成和功能有哪些?

1. 高压共轨系统组成

高压共轨（Common Rail）电喷技术是指在_____、_____和电子控制单元（ECU）组成的闭环系统中，将_____的产生和_____彼此完全分开的一种供油方式。使高压油管压力（Pressure）大小与发动机的_____无关，可以大幅度减小柴油机供油压力随发动机_____变化的程度。其控制内容分为_____控制、喷射正时控制、_____控制和喷油量控制。

高压共轨电控燃油喷射系统主要由电控单元、_____、_____、_____以及各种传感器等组成，如图 10.1 所示。

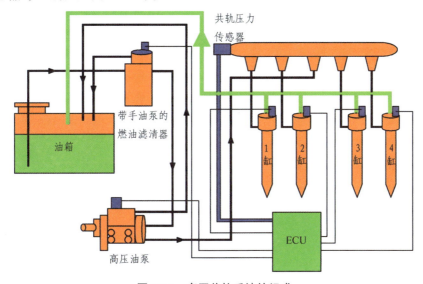

图 10.1　高压共轨系统的组成

2. 高压共轨技术的优点

（1）共轨系统中的喷油压力柔性可调，对不同工况可确定所需的最佳_____，从而优化柴油机综合性能。

（2）可独立地柔性控制喷油正时，配合高的喷射压力（120～200 MPa），实现理想喷油规律，容易实现预喷射和多次喷射，不仅可以控制_____和_____在较小的数值内，以满足排放要求，又能保证优良的_____和_____。

（3）由电磁阀控制喷油，其控制精度_____，高压油路中不会出现_____和_____为零的现象，因此在柴油机运转范围内，循环喷油量变动小，各缸供油不均匀可得到改善，从而减轻柴油机的振动和降低排放。

3. 高低压油路组成

低压油路部分：低压部分油路为高压部分油路供给足够的油量，主要零部件有：油箱，低压回路的进、出油管，_____，_____，_____的低压区。

高压油路部分：共轨系统的高压部分被分成_____（高压泵）、_____（共轨）和_____（电磁阀）。主要的零部件：配有电磁阀的高压油泵（CP1H 型），共轨，共轨压力传感器，喷油器。高压油路部分组成如图 10.2 所示，请填写图中各个序号名称。

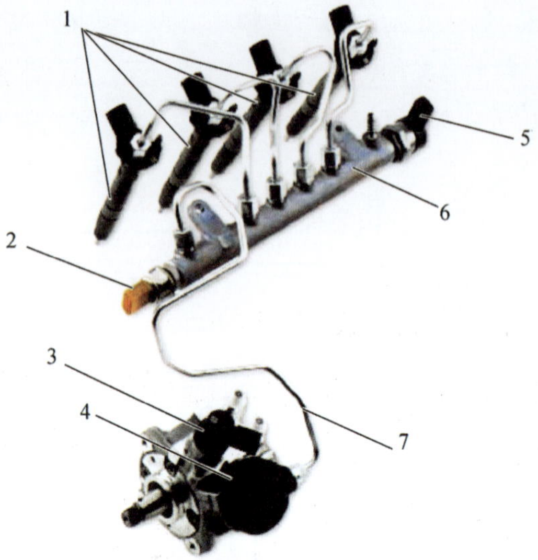

图 10.2 高压油路部分组成

1. _____；2. 燃油压力传感器 G247；3. 燃油计量阀 N290；4. _____；5. _____；6. _____；7. 高压连接油管。

引导问题 2：共轨系统主要零部件的结构是怎样的？如何工作？

1. 辅助燃油泵

目前，有两种可能的形式。_____燃油泵是一种标准形式；另一种是_____的燃油泵。

其功能是由燃油箱沿供油管路向高压泵输送燃油。辅助燃油泵由_____通过继电器启动，用于将燃油箱中电子燃油泵提供的燃油压力提高至大约_____。这就确保了任何工况下都能够向高压泵供油。辅助燃油泵如图 10.3 所示，请填写图中各个序号名称。

2. 高压泵

高压泵是一个_____泵。通过齿形皮带由曲轴以发动机链来带动转动。高压泵的功能在于生成高达_____的燃油压力，用于燃油喷射。传动轴上的两个凸轮呈_____度对置，用于在各个缸的工作循环中同步于喷油过程建立起压力。泵的驱动系统所受负载均匀，因此可保证高压范围内的压力波动_____。用一个滚子来确保驱动凸轮至泵柱塞的传动过程中，摩擦阻力较小。如图 10.4 所示，请填写图中各个序号名称。

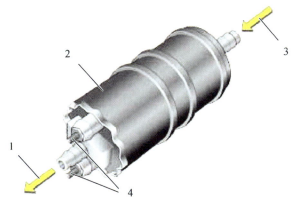

图 10.3　辅助燃油泵

1. _____；2. _____；3. _____；4. _____。

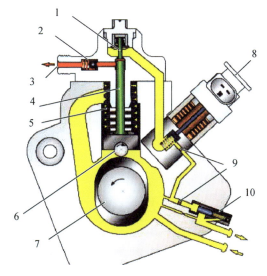

图 10.4　高压泵

1. 进油阀；2. _____；3. 连接轨道；4. _____；5. _____；6. _____；
7. 带凸轮的驱动轴　8. _____　9. 精细过滤器；10. _____。

3. 燃油压力调节阀 N276 和燃油计量阀 N290

燃油压力调节阀位于_____上。开启和关闭调节阀来调节高压区燃油压力。它是由发动机控制系统通过_____信号来控制的。

燃油计量阀集成于_____。其确保了按需调节高压区的燃油压力，无电源供应时，燃油计量阀开启。为减少进入压缩室中的供油量，发动机控制系统通过_____信号开启该阀。

发动机启动时，燃油高压由_____来调节，以预热燃油。为尽快预热燃油，更多的燃油被输送到高压泵中，按需受压。多余的燃油由燃油压力调节阀 N276 通过回油管路送回。当喷油量很大且轨道内压力很高时，燃油高压由_____来调节。因此可按需调节燃油高压。高压泵的能耗得以降低，且避免了不必要的燃油加热。怠速情况，减速，或者是喷油量很小的情况下，燃油压力由_____调节。这能够确保调节精确，以提高怠速性能和进行减速时的性能。

燃油压力调节阀结构如图 10.5 所示，请填写图中各个序号名称。

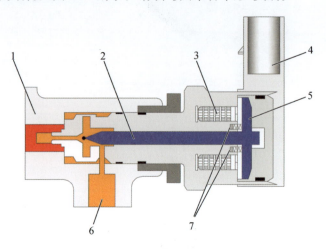

图 10.5　燃油压力调节阀 N276

1. 连接高压蓄压器；2. _____；3. _____；4. _____；5. _____；6. 流回燃油箱；7. _____。

二、任务实施

引导问题 3：完成本任务需要使用的主要工、量具有哪些？需要做哪些作业准备？

1. 在表 10.1 中填写本任务所需要使用的工、量具

表 10.1　工、量具名称及型号

名　称	型　号

2. 查询并填写信息

车辆信息登记见表 10.2。

表 10.2　车辆信息登记

车辆信息	车辆识别代码	VIN
	发动机型号	

3. 作业前的准备

（1）汽车进入工位前，将工位清理干净，准备好相关的器材。

（2）套上转向盘护套、变速杆手柄套和座位套，铺设脚垫。

（3）将汽车停驻在举升机中央位置。

（4）拉紧驻车制动器操纵杆。

（5）将变速杆置于空挡或驻车挡（P挡）位置。

（6）在车内拉动发动机舱盖手柄，在车外打开并支撑发动机舱盖。

（7）粘贴翼子板和前磁力护裙。

引导问题 4：高压共轨电喷柴油机日常维护应注意哪些问题？

（1）使用正规加油站的柴油，保证燃油纯度。纯度低的柴油含硫量偏高，会导致喷油器密封件的腐蚀。一旦使用劣质的柴油，尤其是含水量多的柴油，对整个系统的损伤会特别大。

（2）油箱口应配有滤网，加油时不要图方便把滤网取掉；油箱要保持清洁，做到勤放水。

（3）高压共轨电喷柴油机对机油要求很高，一定要加注优质的机油，最好是该机器原厂配套使用的机油，如果要用非原厂的机油，绝对要分清真伪，一用上假冒的机油，这个柴油机基本上是要大修了。

（4）高压共轨电喷柴油机日常维护要保证有两道燃油滤清器，如果原车只有一个柴油滤芯，可在之前加装一个初级过滤器，提高原车滤芯的使用时间和效果，防止油泵和喷油嘴损害。但不要装过多的燃油滤清器，否则会加重油泵的负载，造成供油不足。

（5）所有油品和滤芯一定要按时更换，并且使用正品保养件。

（6）高压共轨电喷柴油机热负荷都比较高（重型柴油机的水温可以达到 107 ℃），一定要按随车手册上的标号添加冷却液。

（7）高压共轨电喷柴油机带有预热装置，低温发动前，发动机预热灯没有熄灭前，不要打火。

（8）高压共轨系统的电控单元（ECU）要远离热源，要防水、防干扰、防尘、防碰撞，否则不仅会造成电喷系统错乱，还会引起电脑板误报警。

（9）由于高压共轨电喷系统的不可维修性，不要去清洗喷油嘴，电子喷油嘴的结构精密，一洗就出问题。更不要去拆卸共轨供油管，一旦拆卸就得更换新管，以免发生高压共轨管路破损造成起火。

引导问题 5：如何使用故障诊断仪读取 ECU 中的故障信息和数据？

（1）关闭点火开关，连接故障诊断仪。

（2）打开诊断仪电源，启动诊断仪，系统进入诊断初始界面。

（3）打开点火开关，选择汽车诊断（见图 10.6）。

（4）选择柴油专用系统，如图 10.7 所示。

图 10.6　选择汽车诊断

图 10.7　选择柴油专用系统

（5）选择发动机厂商，如图 10.8 所示。

（6）选择 BOSCH 共轨系统，如图 10.9 所示。

图 10.8　选择发动机厂商

图 10.9　选择共轨系统

（7）选择发动机型号，如图 10.10 所示。

（8）选择检测模式，如图 10.11 所示。

图 10.10　选择发动机型号

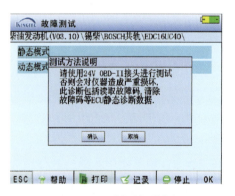

图 10.11　选择检测模式

（9）选择读取故障代码，如图 10.12 所示。

（10）读取故障代码，如图 10.13 所示，将你自己读取的故障信息填入表 10.3 中。

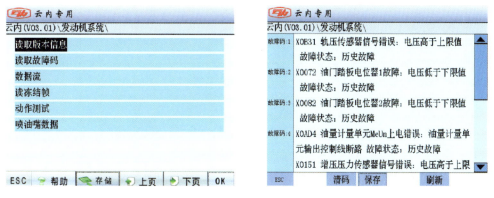

图 10.12　选择读取故障代码　　　　　　图 10.13　故障代码界面

表 10.3　记录故障信息

故障代码	代码含义

（11）如图 10.13 所示，在读取故障代码界面选择清码，清除故障代码，清除命令执行界面如图 10.14 所示。

（12）在图 10.12 界面选择读冻结帧，读取冻结帧数据，如图 10.15 所示。将你自己读取的冻结帧数据填入表 10.4 中。

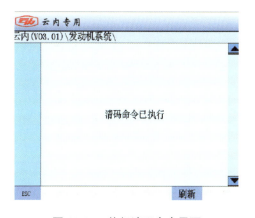

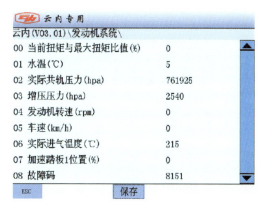

图 10.14　执行清码命令界面　　　　　　图 10.15　读取冻结数据帧界面

表 10.4　冻结数据帧

检测内容	数　值	单　位
发动机转速		
车　速		
冷却液温度		
进气温度		
加速踏板 1 位置		
实际共轨压力		
当前扭矩与最大扭矩比值		
增压压力		

(13) 在图 10.12 界面选择数据流，读取数据流，如图 10.16 所示。将你自己读取的数据填入表 10.5 中。

(14) 在图 10.12 界面选择喷油嘴数据，进入写喷油嘴数据界面，如图 10.17 所示。

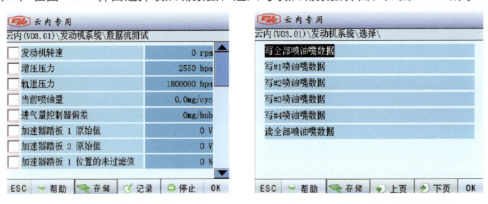

图 10.16　读取数据流界面　　　　　　图 10.17　选择写喷油嘴数据界面

表 10.5　读取数据流

检测内容	数　值	单　位
发动机转速		
车　速		
冷却液温度		
进气温度		
加速踏板 1 位置		
轨道压力		
当前扭矩与最大扭矩比值		
增压压力		
当前喷油量		

（15）可以选择写全部喷油嘴数据，如图 10.18 所示，也可以选择写单个缸的喷油嘴数据，如图 10.19 所示。

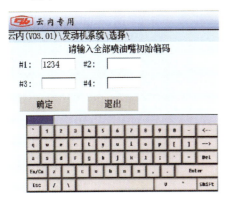

图 10.18　写全部喷油嘴数据

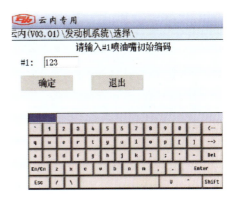

图 10.19　写单缸喷油嘴数据

引导问题 6： 如何正确对燃油共轨系统进行检修？

1. 进油计量比例电磁阀检修

以 GW2.8TC 型柴油机为例，如图 10.20 所示，进油计量比例电磁阀有 2 个接线端子，其 1#端子接 ECU 的 A49#端子（低电位）、2#端子接 ECU 的 A19#端子（高电位）。

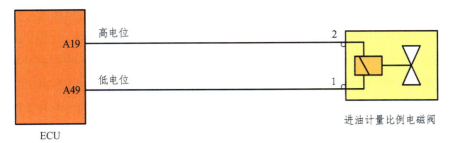

图 10.20　进油计量比例电磁阀电路

（1）听声音判断工作是否异常。进油计量比例电磁阀在断电时关闭，切断低压油路与高压油路的联系，在通电时则打开。因此，点火开关置于 ON 时，应听到进油计量比例电磁阀发出连续不断的嗡鸣声，且把手放上应能够感到明显振动。

（2）传感器电阻值测量。关闭点火开关，拔下进油计量比例电磁阀插头，测量传感器侧 1#与 2#端子间的电阻，20 ℃ 情况下，两端子间的电阻值应在 3 Ω 左右。将检查结果填在表 10.6 中。

表 10.6　进油计量比例电磁阀电阻检测

检测位置	电阻值	标准值	是否正常	维修建议
1—2				

（3）外线路检查。参考图 10.20，用万用表的最小电阻挡，分别测量 1#端子与 A49#端子、

2#端子与 A19#端子之间的电阻值，来判断外线路是否存在断路故障；利用万用表导通挡分别测量 1#与接地和 2#与接地，或者 A49#与接地和 A19#与接地之间是否导通，检测是否有搭铁故障。将检查结果填在表 10.7 中。

表 10.7　进油计量比例电磁阀外线路检测

检测位置	电阻值	标准值	是否正常	维修建议
1—A49				
2—A19				
1—接地				
2—接地				

（4）数据流检测。用诊断仪可以读取"油量计量单元供油设定值"、"油量计量单元输出占空比"和"轨压控制器供油预控值"等 3 个参数的数据流。Bosch 共轨系统进油计量电磁阀的参数如下：PWM 信号频率，164～195 Hz；线圈电阻，2.6～3.15 Ω；最大电流，1.8A。将检查结果填在表 10.8 中。

特别说明：进油计量比例阀有常开型、常闭型两种，检修时应特别注意。

表 10.8　进油计量比例电磁阀数据

检测内容	数　值	单　位
油量计量单元供油设定值		
油量计量单元输出占空比		
轨压控制器供油预控值		

2. 共轨压力传感器的检测

如图 10.21 所示，共轨压力传感器为压敏效应式，有 3 个接线端子，1#端子为搭铁线、2#端子为信号线、3#端子为电源线（5 V）。

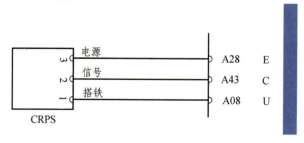

图 10.21　共轨压力传感器电路及接头

（1）传感器电压值测量。关闭点火开关，拔下共轨压力传感器插头，点火开关置于 ON 位置，测量传感器侧插头 3#端子与搭铁间的电压应为 5 V，2#端子与搭铁间的电压应为 0.5 V 左右，1#端子与搭铁间的电压应为 0 V。将检查结果填在表 10.9 中。

表 10.9 轨压传感器电源电压检测

检测位置	电压值	标准值	是否正常	维修建议
1—搭铁				
2—搭铁				
3—搭铁				

（2）外线路检查。参考图 10.21，用万用表的最小电阻挡，分别测量 1#端子与 A08#端子、2#端子与 A43#端子、3#端子与 A28#端子之间的电阻值，来判断外线路是否存在断路故障；利用万用表导通挡分别测量 1#与接地和 2#与接地，或者 A08#与接地和 A43#与接地之间是否导通，检测是否有搭铁故障。将检查结果填在表 10.10 中。

表 10.10 共轨压力传感器外线路检测

检测位置	电阻值	标准值	是否正常	维修建议
1—A08				
2—A43				
3—A28				
1—接地				
2—接地				

（3）数据流检测。用诊断仪可以读取发动机系统数据，涉及共轨压力的数据共有 4 个："燃油系统轨压"、"轨压设定值"、"实际轨压最大值"、"轨压传感器输出电压"。当发动机水温达到 80 ℃ 怠速运转时，"轨压传感器输出电压"应为 1 V 左右，"燃油系统轨压"及"轨压设定值"均为 25 MPa 左右，当逐渐踩下加速踏板，提高发动机转速时，上述 4 个数据也逐渐增加，"燃油系统轨压"、"轨压设定值"、"实际轨压最大值"最大为 145 MPa，"轨压传感器输出电压"的最大值为 4.5 V。将检查结果填在表 10.11 中。

表 10.11 轨压传感器数据

检测内容	怠速时数据	加速到 2 500 r/min 时数据	油门踏板踩到底数据
燃油系统轨压			
轨压设定值			
实际轨压最大值			
轨压传感器输出电压			

3. 燃油含水率传感器检修

如图 10.22 所示，燃油含水率传感器有 3 个接线端子，1#端子接电源，2#端子接 ECU 的 K40#端子（信号），3#端子搭铁。

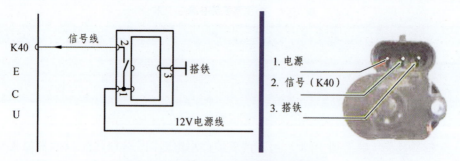

图 10.22　燃油含水率传感器电路及接头

（1）传感器电阻值测量。关闭点火开关，拔下传感器插头，测量传感器侧 1# 与 2# 端子间的电阻应为无穷大；2# 与 3# 端子间的电阻应为 4 MΩ 左右；1# 与 3# 端子间的电阻应为 1.5～2.5 MΩ。将检查结果填在表 10.12 中。

表 10.12　燃油含水率传感器电阻检测

检测位置	电阻值	标准值	是否正常	维修建议
1—2				
2—3				
1—3				

（2）传感器电压值测量。关闭点火开关，拔下传感器插头，点火开关置于 ON 位置，测量传感器侧插头 1# 端子与搭铁间的电压应为 12 V，3# 端子与搭铁间的电压应为 0 V。将检查结果填在表 10.13 中。

表 10.13　燃油含水率传感器电源电压检测

检测位置	电压值	标准值	是否正常	维修建议
1—搭铁				
3—搭铁				

（3）外线路检查。参考图 10.22，用万用表的最小电阻挡，分别测量 2# 端子与 K40# 端子之间的电阻值，来判断外线路是否存在断路故障；利用万用表导通挡分别测量 2# 与接地，或者 K40# 与接地之间是否导通，检测是否有搭铁故障。将检查结果填在表 10.14 中。

表 10.14　燃油含水率传感器外线路检测

检测位置	电阻值	标准值	是否正常	维修建议
2—K40				
2—接地				

4. 燃油温度传感器

（1）当燃油温度传感器失效（如信号丢失）时，会进入减扭矩保护模式，使发动机功率不足，转速受限。

（2）故障灯亮，故障代码 P0182 及 P0183。

（3）检测方法与水温传感器相同，参考汽油机水温传感器检测。

三、评价与反馈

1. 任务实施考核成绩评定（表 10.15）

表 10.15 发动机电控点火系统的检修考核表

考核项目及分值	考核内容	评分标准	评分记录
准备工作 10 分	清洁工量具及其工作台	1. 未清洁工量具扣 1 分 2. 未清洁工作台扣 1 分	
专用诊断仪的使用 20 分	组装连接故障诊断仪 正确选择进入诊断系统 读取故障代码 读取冻结数据帧和数据流 会写全部喷油嘴数据	1. 组装连接错误一处扣 2 分 2. 操作系统错误一次扣 2 分 3. 读取代码错误扣 3 分 4. 读取数据错误一次扣 2 分 5. 写喷油嘴数据错误扣 3 分	
进油计量比例电磁阀检修 20 分	听声音判断工作是否异常 传感器电阻值测量 外线路检查 数据流检测	1. 万用表使用错误 扣 2 分 2. 检查位置错误扣 3 分 3. 检查结果错误扣 2 分 4. 数据读取错误扣 3 分	
共轨压力传感器的检测 20 分	传感器电压值测量 外线路检查 数据流检测	1. 万用表使用错误 扣 2 分 2. 检查位置错误扣 3 分 3. 检查结果错误扣 2 分 4. 数据读取错误扣 3 分	
燃油含水率传感器检修 20 分	传感器电阻值测量 传感器电压值测量 外线路检查	1. 万用表使用错误 扣 2 分 2. 检查位置错误扣 3 分 3. 检查结果错误扣 2 分	
收尾工作 10 分	清洁工具、量具、工作台 工、量具应摆放整齐	1. 未清洁扣 1～3 分 2. 未摆放整齐扣 1 分	
考核时限	完成全部考核内容规定用时为 20 分钟	1. 超时每分钟扣 5 分 2. 超时 5 分钟即停止记分	

2. 任务过程评价与反馈（表 10.16 和表 10.17）

表 10.16　任务过程评价表（教师填写）

考核项目	评分标准	分数	成绩	过程评价
劳动纪律	有无迟到、早退和旷工	5		
团队合作	是否和谐	5		
活动参与	是否精彩	5		
安全生产	有无安全隐患	10		
操作过程	是否正确、熟练	30		
任务质量	是否圆满完成	10		
工具、设备使用	是否规范、标准	10		
工作页填写	是否完整、规范	15		
现场 5S	是否做到	10		
总　分		100		

注：没有按照操作流程操作，出现人身伤害或设备严重事故，本任务考核结果为 0 分。

表 10.17　任务过程反馈表（学生填写）

反馈内容	回答
你是否完成本学习任务，并得到老师的确认？	
你是否能准确有效地收集、分析和组织完成资料，正确地交流信息？	
你是否已经掌握预期的知识和必备的技能？	
你是否充分使用学习资源和按计划有组织地完成目标？	
操作完成水平： 上述表格中的项目应为肯定回答。若不是，应咨询老师。你可以要求附加相关活动，以便完成相关的操作技能。 教师签字：_____ 学生签字：_____ 完成日期：_____	

参 考 文 献

[1] 舒华，姚国平. 汽车电控系统结构与维修[M]. 3 版. 北京：北京理工大学出版社，2009.

[2] （德）理查德. 汽车维修技能学习工作页[M]. 房大川译. 北京：机械工业出版社，2012.

[3] 屈殿银，尹维贵. 汽车发动机构造与维修[M]. 北京：机械工业出版社，2010.

[4] 陈卫忠. 汽车发动机常见维修项目理实一体化教材[M]. 北京：人民交通出版社，2012.